★影响世界的人★

海明威

★ 曾淑芳 著　陈盈帆 绘

译林出版社

图书在版编目(CIP)数据

海明威 / 曾淑芳著, —南京: 译林出版社, 2013.10
(影响世界的人)
ISBN 978-7-5447-4466-9

Ⅰ. ①海… Ⅱ. ①曾… Ⅲ. ①海明威, E. (1899~1961)-传记-少儿读物 Ⅳ. ①K837.125.6-49

中国版本图书馆CIP数据核字(2013)第223104号

书　　名	海明威
作　　者	曾淑芳
责任编辑	王　蕾
特约编辑	于伊莎
原文出版	联经出版事业公司
出版发行	凤凰出版传媒股份有限公司 译林出版社
出版社地址	南京市湖南路1号A楼, 邮编: 210009
电子邮箱	yilin@yilin.com
出版社网址	http://www.yilin.com
经　　销	凤凰出版传媒股份有限公司
印　　刷	江苏凤凰盐城印刷有限公司
开　　本	889毫米×635毫米 1/16
印　　张	11.25
插　　页	4
字　　数	97千
版　　次	2013年10月第1版 2013年10月第1次印刷
书　　号	ISBN 978-7-5447-4466-9
定　　价	25.00元

译林版图书若有印装错误可向出版社调换
(电话: 025-83658316)

导读

台湾知名小说家 蔡素芬

在几位获得诺贝尔文学奖的美国作家中,海明威深富传奇性,曾被《时代》杂志票选为20世纪影响美国人最深的人物之一。他的魅力一是来自文学上的成就;一是来自喜爱探险,将冒险与生活、写作合而为一的精神,因而深深受到人们的崇拜。

海明威高中毕业即因对写作的热情而投身记者工作。这段记者生涯中对文字精简性的要求,成为日后海明威文字运用的准则。他琢磨文句的精简性,在句子与句子间留下思考的距离,形成极具特色的海明威式的文字;在对话和叙述上,他的精练使他的小说情节和意涵紧紧相扣,引人入胜。

海明威的冒险精神因生逢其时,造就了他精彩起伏的人生。高中临毕业之际,美国加入第一次世界大战,他即自愿上战场,由于体检不合格无法成行,直到当了几个月的记者后才如愿去了意大利战场。这是他实践人生探险的序幕，也是他成为伟大作家的第一步。这次上战场的受伤经历，成为日后写作《战地春梦》的素材。这本书让他初步尝到畅销书作家的滋味，也为跻身名作家之列，立下专业创作的基础。除了成为专业作家之前的数次记者经历外，从事专业写作后，他也因战事的需要，常扮演短期的记者，采访战地新闻。亲眼所见与实地经验，既丰富了他的写作题材，也使他特别关注国际形势，小说中的人物更是活跃于欧洲的重大历史事件中，小说背景遍及非洲和美国、法国、意大利、西班牙等多国，使他素有世界公民的雅称。

海明威深富热情活力、冒险精神的特质，在他少年时期即已成型。由于父亲的带领，童年的海明威亲近自然，喜欢钓鱼打猎，这些习惯终其一生伴随着他。足迹所及之处，生活所历的感想，常在他的文学作品中反复出现。他游历欧洲各地，到西班牙看斗牛，到奥地利滑雪，到中国战区采访新闻，到非洲狩猎，到墨西哥湾捕鱼……他不断开发生活领域，犹如不断开发写作的领域，他在诺贝尔奖获奖感言中提到，“对真正的作家来说，每本书应该是全新的开始，是作家再度尝试的新东西。他应该总是尝试自己从来不曾做过或他人做过却失败的东西”，这正与他喜欢冒险的精神相呼应。

海明威的多部作品被改编成电影，最脍炙人口的，大约是《战地春梦》、《战地钟声》、《老人与海》、《杀手》和《太阳照常升起》。他历经写作的起伏期，各时期的作品受到的褒贬不一，但在 1952 年完成的《老人与海》将他的成就推向顶峰，并于 1954 年获得诺贝尔文学奖的

荣耀。其后,因为要寻求写作上的突破,和过于严苛的自我要求,海明威时常陷入情绪上的困境,怀疑他人想要利用他,健康因素也影响他的写作进度,令他苦恼。越近晚年,他越加敏感而力不从心,终至走上自杀之路。在这段情绪低落,却仍念兹在兹书写的日子里,他遗下作品《海流中的岛屿》和《流动的盛宴》。后者在他去世后出版,连续19周高居畅销书榜首。这是晚年时期的他对年轻时居住巴黎的生活回忆。当时他首次结婚,担任北美报业联盟驻欧洲记者,又因对写作的热诚,放弃记者工作,留在巴黎专心写作。从这本散文集可以看出,年轻的海明威,对写作已打算投注毕生精力,不怕穷困地虚心学习,集中精力写作。他时常向当时饶负盛名的作家请教。他最后在写作上的成功,绝非偶然,实在是源自他把写作的志向实践为生活的全部内容,和以冒险精神考验自己的勇气——这个特质同时也贯穿于他的作品之中。

除了写作之外,海明威的感情生活也颇为传奇。他一生结过四次婚,在每一次婚姻中,又遇到另一位红粉知己。海明威认为失去了爱情还勉强相处是不道德的,希望维持情感上的忠诚,既有新恋人,就应与旧人分离;因此,他结婚又离婚、离婚又结婚,热情与冷漠俱存于婚姻关系,从中亦可窥见海明威多么需要热情的刺激,又多么向往纯真浪漫的爱情。

海明威一生历经两次世界大战,又因战地记者身份,对战事观察敏锐,以战争题材写作的作品广受喜爱和肯定。时势造就他的写作事业，他亦努力攀爬写作高峰。他精彩的人生，就是一部精彩的故事。

海明威身后，有许多传记出版，有的长达数册。对于有兴趣更多了解海明威的读者，可以这本精心编写的青少年版《海明威》作为入门，可扩展到他的作品阅读，再深入到详细的传记，对海明威的文学世界，当会有更深刻的体会。

目录 CONTENTS

第一章　接受大自然的洗礼

第二章　展开羽翼离巢独飞

第三章　在欧洲文坛崭露头角

第七章 再创文学盛名

第一章 接受大自然的洗礼

序曲

1954年的秋天，美国的新闻界和文学界弥漫着一股蠢蠢欲动的氛围，在每个场合里，大家见了面总免不了会互相提醒一下，诺贝尔文学奖[1]就快要揭晓了，尽管今年的候选人个个来头不小，不过大家似乎很笃定，心中的答案几乎都是——海明威。

海明威在两年前问世的小说《老人与海》，一开始先在《生活》杂志全文刊登，短短两天之内，杂志就卖了550多万册；一个星期后出版单行本，也同样在短短的时间内热销了15万余册；各界好评不断，

1 诺贝尔文学奖是奖励“在文学界创作出具有理想倾向之最佳作品的人”，1901年由“诺贝尔基金会”首次颁发。这一基金会是根据瑞典科学家诺贝尔的遗嘱，以其全部遗产3300多万瑞典克郎所设立的，每年取用基金利息，奖励对人类有伟大贡献者，奖项分为物理、化学、生理暨医学、文学、和平五类。

两年来卖出的册数不断增加。

餐厅里、酒吧中，这样的对话三不五时在市井小民之间上演：

“桑提亚哥这个老渔夫，干嘛那么死脑筋，大鱼拖不回来就算了，还差点赔上一条命，真是何苦?”

“你懂什么? 难得捕到那么一条大鱼，是我也不会放手，难不成当了一辈子渔夫是当假的!”

不管说话的人有没有读懂《老人与海》，能不能体会故事背后的深意，似乎没有人不沉迷在海明威所描述的大海情境里。

84 天没捕到一条鱼的老桑提亚哥，不服输地一个人划着小船，在一望无际的大海中找寻鱼的踪迹，希望能一扫霉运。也许霉运已走到尽头，也许真如桑提亚哥所想的，“85” 是个幸运数字，这天大鱼终于上钩了! 透过鱼线的拉劲，他知道这是一条比船还要大的鱼。鱼在海底一百多公尺处慢慢地游，老人想把它往上提，却一点儿也提不动，只能任由大鱼拖着小船朝远方游去。日头渐渐西斜，气温逐渐下降，黑夜很快地笼罩着无垠的大海；然后朝日又从东方升起，温度慢慢回暖了。折腾了一整夜，老人的背脊僵硬了，手心也被鱼线勒出了血痕。他望着那根一直向前方深处延伸的鱼线，知道这条一直还没露脸的大鱼是多么坚毅高傲，而在汪洋无际的大海中，自己又是多么孤立无援。就这样，老人和大鱼，船上水下地耗着，看谁先筋疲力竭，看谁先俯首称臣。

不管是谁，回到 1954 年的现实世界里，人人都会向海明威的文学成就俯首称臣。从瑞典的斯德哥尔摩正式传来了好消息——海明威获得了诺贝尔文学奖。这位五十五岁的文学老兵，在文字海洋遨游了三十多年，终于“钓”到了生涯中最大的一条鱼。

在华伦湖畔

海明威出生那年正好是19世纪的最后一年，1899年。这年的7月21日，一个白白胖胖的小男婴在伊利诺伊州橡树园呱呱坠地。橡树园在美国中部芝加哥城的西南郊，街道两旁大多是维多利亚风格的建筑，是个美丽宁静的小镇，人口只有一万多，镇民大多是虔诚的基督教徒。爸爸克莱伦斯·爱德蒙·海明威是个医生，大家都习惯叫他“爱德”。妈妈格蕾斯·霍尔是个音乐老师，有一副美妙的歌喉。

这是夫妇俩的第二个小孩，他们为孩子命名“欧内斯特·米勒·海明威”。欧内斯特是外祖父的名字，米勒是外叔公的名字，妈妈格蕾斯为小孩取这个名字，原本是希望孩子能继承祖父辈的金属业和木匠技巧，没想到这个孩子长大以后竟然成了一位大文豪！

夫妇俩的第一个孩子是女孩，叫玛斯琳。姐姐玛斯琳只比海明威大一岁半。

海明威七个月大时，妈妈觉得姐弟俩长得很像，于是就把海明威打扮得跟姊姊一样，穿着女孩子的裙装，留着长头发，姐弟俩看起来就像一对姐妹花。这样的装扮一直持续到海明威两岁左右。至于那

一头长发，到四岁生日那天，爸爸才带着海明威到理发店去剃短。

妈妈原本是个歌声美妙的女低音歌手，一心希望在纽约的音乐舞台剧出人头地。二十二岁那年机会来了，格蕾斯终于要在麦迪逊花园广场的音乐会登台献唱。不料，她的眼睛由于小时候得过腥红热而对光线非常敏感，强烈的舞台灯光刺得她两眼睁不开，她只好收起事业野心，回到橡树园，嫁给相恋多年的爱德。格蕾斯在家乡招收学生当起音乐老师，收入相当不错，刚刚执业不久的丈夫，收入反而常常比不上她。

爸爸爱德是个有爱心的医生，对待病人总是和颜悦色，细心诊断，病人都很信赖他。

爱德有许多嗜好，其中之一是打猎。他是个出色的猎人，枪法很准，有空的时候就会到乡间树林里猎些小动物和鸟禽，猎得的野味有时候带回家给家人加菜，有时候则亲自动手把猎物制作成栩栩如生的标本，这些标本就放在诊疗室展示着。

爱德的第二个嗜好是钓鱼。他喜欢带着钓具到溪流或湖泊，有时坐在岸边垂钓，有时会一边划着船，一边钓着鱼。无论哪一种方式，都能纾解平日忙碌生活的紧张压力。

第三个嗜好是烹饪。他一有空就自己到市场去买菜，亲自下厨为家人烧菜煮饭。有一次，爱德正在诊疗室帮病人看病，忽然间好像想起了什么事，对病人说：“对不起，麻烦你等我一下。”接着拿起桌上的电话，拨了电话回家：“亲爱的格蕾斯，我刚刚在炉子上烤一张饼，应该可以了，能不能麻烦你到厨房去把炉子的火关掉？嗯，好，谢谢。”

除了在橡树园安家立业之外，爱德和格蕾斯又在密歇根湖东侧的华伦湖畔买下一块土地，准备盖一幢避暑木屋。

海明威第一次到华伦湖畔时才刚刚七个星期大，一家四口从橡树园搭火车到大城芝加哥，再坐马车到密歇根湖岸，转乘蒸汽船到码头泉，换搭窄轨火车到佩托斯基，沿支线到华伦湖，最后坐人力船才到了湖对岸的目的地，真的是一路上舟车劳顿[1]。这块地是跟附近的卑尔根农场买的，这时木屋还没动工，爸爸爱德跟湖岸一家锯木厂购买的建屋木材已经堆放在一个角落了，只等着工人动工。这是海明威第一眼见到的景象，不过这时他还太小，应该不会抱怨为什么没有小木屋。

第二年夏天，海明威一家又来到华伦湖畔。这时木屋已经盖好了，妈妈为这幢房子取名为“温德米尔”。木屋除了餐厅、厨房之外，还有两间卧室。虽然不是很大，可是风景好得没话说。从窗户望出去，入眼就是青色的山峦、翠绿的湖水；山坡下的湖边沙滩很干净，是孩子玩耍、戏水的好地方。木屋周遭是一大片还没有开发的森林处女地，附近有个印第安人部落，常常见到印第安妇女来到湖边洗衣服，

1 在19世纪下半叶，到密歇根一带旅行并不容易，虽然当时已经兴建了铁路，还有蒸汽船行驶在密歇根河和湖区，但是湖区一带地广人稀，总是要变换各种交通工具才能到达湖岸的某一地点。

或是印第安小男孩头顶着一篓甜草[1]，向前来避暑的游客兜售。

海明威在这里度过他生平的第一次生日，他已经会自己走路了，常常拿根小木棍，对着卑尔根家的羊群喊着："去！去！"可爱的模样总是逗得大家呵呵大笑。

爱德向附近的印第安人买来一艘小木船，船身非常漂亮，漆着女儿"玛斯琳"的名字为船名。这年夏天，海明威和姐姐在这儿玩得乐不思蜀，小小的身影不是在木船上爬进爬出，就是在沙滩上追逐嬉戏，整个华伦湖畔飘荡着姐弟俩稚嫩的笑声。

童年生活

每年夏天，爱德爸爸一定会带着一家人到温德米尔度假。不久，妈妈为海明威添了一个妹妹，名叫乌苏拉，可是海明威一点儿也不高兴，他对着上帝祷告说："敬爱的耶稣基督啊，希望你很快能赐给我一个弟弟。"

华伦湖畔的木屋后来扩建成三间卧室，好让家人住得更舒适。附近森林里有许多野生动物，实在是打猎的好地方。爱德常常带把猎枪，一出门就是一整天，回来时总是满载而归，两手抓满了野鸡、野

1　"甜草"又称"甜菊叶"，原产于南美洲，食用时只取它的叶片。叶片的甜度是砂糖的二百倍，向来把它当作糖的替代品。"甜草"很适合添加在花草茶中饮用，由于热量不高，糖尿病患者和过度肥胖者可以将"甜草"作为天然代糖。

鸭。如果没出门去打猎，就到山坡下的华伦湖，水底下可见到许多鱼儿游来游去，爱德常常划着船，静静地在湖面上垂钓。

爸爸开始教海明威如何在野地里搭帐篷，怎么辨识无毒可吃的野生植物，怎么生火来煮水、烤肉，如何刮鱼鳞剖鱼肚；当然，如何拿猎枪是一定要教的，这样才能到森林中猎取动物。

“这里的野生动物有很多种，你知道有哪些吗？”爸爸问海明威。

“嗯，”海明威抬起可爱的小脸蛋望着爸爸那张留着小胡子的大脸，“有浣熊吗？”

“有啊，可是我们要爱护浣熊，不可以随便伤害它们，懂吗？”

海明威点点头。“我看到过野鸭，野鸭可以打吗？”

“可以啊，有害的动物都可以狩猎，不过别伤害松鼠和浣熊就是了，它们是好动物。其实森林里还有野猪、小鹿、负鼠、斑鸠呢！”对爱德来说，会偷吃家禽的动物都是有害的。

“这么多呀！”海明威瞪大了眼睛。

“还有很多其他动物，可是我们每次只要猎取一家人够吃的数量就好，不要为了好玩而打猎。”爸爸慎重地说。

爸爸也教海明威怎么拿钓竿，他带着三岁大的海明威到湖边找个好地方，坐在枯木上，示范如何把鱼饵勾在鱼线上，再拿捏劲道甩出去。

“注意看，这样甩！”爸爸站起身把鱼线抛出去，鱼线在空中画出一道美丽的弧线，“啵”一声落入湖水里。

“爸爸，我也来试试看！”海明威站在爸爸身旁，努力挺直腰板，希望三岁的自己能很快也长得像爸爸那么高大。

“好，握好鱼线，”爸爸调整海明威的手势，“对，就这样，可以了，甩出去。”

鱼线在空中飘摇了一下，软弱无力地落在湖岸边。

“啊，没进到水里！”海明威知道自己力气太小了。

“没关系，收回来再练习一次。”

这样的场景一再出现，到了五岁那年，海明威已经可以很帅气地戴着一顶大草帽，一手勾着鱼篓子，一手拿着钓竿，一个人轻轻松松地钓鳟鱼了。

爱德非常满意温德米尔的环境，不过他觉得这块地太小了，总希望能有块大一点的土地好弄个农场。不久，机会来了，湖对岸有一块40亩地的农田正准备出售，爱德二话不说马上买了下来，取名为“朗费尔德农场”。从此之后，一家人夏天又多了一个去处。爱德喜欢做些劳力工作，有了这处农场，他就像个农夫一般，做些除草垦地的农事。海明威看见爸爸在田里除草耕地，也有样学样地拖着锄头，跟在爸爸屁股后面，很有架式地锄着地，虽然力道不足，不过在父子两人的努力下，这块地也整理得有模有样。爱德在这处农场种了许多蔬菜和果树，往后家人想吃蔬菜、水果就不用买了。

这一年，爱德又买了一艘新船，命名为“乌苏拉号”，这是以海明威妹妹的名字来命名。这艘船大一些，几个孩子可以舒舒服服地坐在船上，跟爱德爸爸划到湖上去游湖、钓鱼。

愉快的暑假结束后，一家人又回到橡树园的老家。爸爸继续在诊所里为病人看病，妈妈继续在家里教学生唱歌、弹琴。

爸爸爱德成立了一个自然学习俱乐部，利用每个星期六早上带领学员到树林里采集标本，或到河岸边的灌木丛观赏野鸟。海明威穿着和爸爸一样的背带裤，充当爸爸的助手，也跟着俱乐部的大哥哥、大姐姐一起上自然学习课程。他很高兴自己是俱乐部的成员。

海明威五岁这一年，他和姐姐玛斯琳手牵手一块儿去上幼儿园。生日那天，外公送他一台显微镜当作生日礼物，海明威在课余时便和几个大朋友到森林里采集标本，用外公送的显微镜来观察采集的昆虫和矿石，很有小科学家的模样。

然而不幸的事发生了。

“外公，外公，看我抓到了什么？”这天，小海明威从林子里抓了几只昆虫回来，一进门就大喊，准备请外公一起用显微镜观察昆虫。

“嘘……”妈妈把食指比在嘴唇上，“小声点，外公不舒服，别吵到他了！”

“外公怎么了？”小海明威脸上挂着僵住的笑容。

“外公年纪大了，老人家常犯的毛病又犯了。”妈妈蹲下来，摸摸海明威的胖脸颊，“你别到房间去吵他，知道吗？”

小海明威点点头，自己一个人回到房间落寞地看着显微镜底下的世界。

过了几天，他实在太想念外公了，偷偷溜进外公的房间，蹑手蹑脚地走到病榻旁。外公变瘦了，听到他的脚步声，勉强睁开眼睛：“嗨，你来了!”

“我来了，外公! 我说个故事给你听。”小海明威趴在病床边，磨蹭着外公的胡子，在他耳边讲悄悄话。“我那天去林子里采标本，看到一匹偷跑出来的马，不知道是谁家里的，我很勇敢，一个人跑过去把那匹马拦了下来。”

“呵，呵，呵，”外公听了笑逐颜开，“你真是勇敢哪!”

孙子的容颜还是留不住老人家。疼爱海明威的外公在这年冬天病逝了，来不及跟五岁的小孙子说些什么。

这一年，海明威又多了一个妹妹，叫桑妮。也就是说，家里已经有了四个小孩：姐姐玛斯琳、小海明威、大妹乌苏拉、小妹桑妮，老旧的房子早就住不下了。

妈妈格蕾斯决定把外公留下来的房子卖了，另外在大街上筑一幢新楼房。新楼房一共三层，有八个房间，除了一家六口之外，外叔公汉柯克也来住在一起。除了当住家之外，妈妈的音乐教室、爸爸的诊疗室和候诊间，全都设在一楼。工作和住家在一起，更方便夫妻俩照顾四个小孩。

童年的海明威心里一直盼望秋天赶快过去，等到冬天来了，他又希望春天快点来，春天终于走了，他高兴地喊着："夏天真的来了！又可以到华伦湖畔的农场木屋去避暑度假了。"温德米尔成了他夏天最喜欢去的地方。在爸爸的熏陶下，这个小男孩成了训练有素的小猎人、小渔夫，他也跟爸爸一样爱上了大自然。

第一篇短篇小说

六岁那年，海明威和姐姐玛斯琳一起上当地的文法学校，开始接受正式的学校教育。海明威的功课不是很好，妈妈也不特别重视，反倒希望儿子将来可以成为音乐家。她要求孩子们都得上音乐课，并且带他们上大城市芝加哥去听音乐会、看歌剧。芝加哥的交响乐团和歌剧团水平很高，虽然门票也贵，不过她还是舍得花钱让孩子得到艺术熏陶。

这样的投资是有回馈的。七年级那年，海明威参加了学校的舞台剧《罗宾汉》的演出。罗宾汉是英国民间传说的一名绿林好汉。十二岁的海明威扮演这名侠盗，套上假发，戴上丝绒帽，穿上戏服和高统靴，一边唱着歌，一边装模作样地走在树林里，逗得台下观众哈哈大笑。

海明威的功课虽然不怎么好，倒是很喜欢看书，亲戚朋友在他生日时，常常送他故事书；圣诞节收到的礼物也大多是故事书，像是《鲁宾逊漂流记》、《圣诞儿童故事集》、《萨克逊英雄传》等，每一本他都

是一读再读,爱不释手。可能是书读得多了,海明威的作文写得很好。

六年级那年,妈妈格蕾斯带海明威到美国东海岸旅游,海明威第一次看见大海,心中无比激动。他陪着妈妈下海游泳、泼水嬉戏;有时躺在柔细的海滩上,望着蔚蓝的天空、汹涌的波涛。海边美丽的印象一直到他回到橡树园家里时还挥抹不去,心中激起了提笔写作的欲望。

正好英文课要写一篇作文,海明威就把这趟东海岸之旅的回忆,融合外叔公汉柯克告诉他的航海故事,写成了一篇短篇小说,题目是《我的第一次海上旅行》:

我出生在马萨诸塞州外岛上的一所白色房子里。母亲去世的时候我才四岁,后来我的父亲——一艘三桅帆船的船长,带着我和弟弟出海,我们绕过好望角,准备前往澳大利亚。

去的时候天气很好,一路上风平浪静。我们常常看见海豚在船的周围嬉游,信天翁鼓着双翅飞越海面,一会儿又在船的上空盘旋,觅寻食物。船上水手把饼干放在铁勾上,结果捕获了一只。但水手们十分迷信,认为信天翁是吉祥的鸟,捉捕它会有不祥的事发生,于是立即放了它。

我们很顺利地到达澳大利亚的悉尼港。回程也一路顺风,平平安安地回到家里。

海明威以自述的第一人称方式写作，老师看了以后颇为讶异，称赞他写得很好。

每年夏天，爱德爸爸还是一样带着家人到温德米尔度假。爸爸会在农场犁地，到湖里划船捕鱼，到林子里打猎，同时利用机会教几个小孩子认识大自然生态，也教他们野外求生技巧。

这一年，妈妈在华伦湖畔生下海明威的第三个妹妹——卡洛尔，海明威非常失望，他一直想要有一个弟弟，哥俩可以玩许多男孩的游戏，妹妹就不行了。家里的第二个男丁，直到海明威十六岁那年才来报到，兄弟俩年纪实在相差太多了，莱斯特想当哥哥的跟屁虫，这时的海明威倒觉得带他到哪儿都很累赘。

幸好海明威在华伦湖畔有个从小认识的玩伴哈罗德，他俩可以一起打打闹闹。

哈罗德是和海明威一起啃豪猪的好伙伴。

那是 1913 年的事情。海明威刚从文法学校毕业，又来到华伦湖畔度假。有一天，卑尔根农场的一只狗在树林里和一只豪猪打了起来，缠斗后，小狗被豪猪的刺刺得哀号不已，被人送到爱德医生家里来治疗。年轻气盛的海明威和哈罗德一看到狗的惨状，马上拿了一管猎枪，跑进树林里找那头闯祸的动物，一枪让它毙命，然后两人割下豪猪的一只后腿，带回去当战利品。可是爱德爸爸那条“不能滥捕猎物”的明训可是说了算数的，“不伤人畜的动物是不应该滥杀的，不过你们既然把它打死了，就得把它煮熟了吃掉。”海明威和哈罗德只

好把这皮又硬、肉又老的豪猪腿烹烤一番，硬着头皮把它啃个精光。

又有一年夏天，海明威和哈罗德在朗费尔德农场一起工作，帮忙把农地里的干草收进仓库，给几头奶牛挤奶，还开着爸爸新买的快艇“卡洛尔号”（以小妹妹的名字命名），把农地刚收割的马铃薯、青豆、萝卜和甘蓝菜运送到沿湖的各家旅馆和住家。到了晚上，两人在农场的一处坡地搭起帐篷，舒服地仰躺在满天星空下，疲累的身躯让这两个大男生很快就沉沉睡去。

华伦湖附近有个印第安人部落，海明威和哈罗德常常看到印第安人在湖畔出现。对海明威来说，印第安人总是悄无声息的，前一刻钟还看见他们沿着小路采集野莓果，下一刻钟却不声不响地出现在他们家厨房门口，问问他们家要不要买点野菜或莓子。不过海明威总是知道印第安人是不是走过某一个地点，因为他觉得印第安人身上有一股特别的气味，只要闻到那气味，就知道印第安人刚刚来过。

海明威遇见的印第安人都很和气，有个高个儿叔叔还做了一把划桨送给海明威。爸爸爱德偶尔会雇用伐木工人尼克来帮忙劈木头、做粗活，尼克的女儿有时也会帮海明威的妈妈格蕾斯做点家事。

海明威怎么也没有想到，和印第安人相处的日子竟然深深烙印在他的心底，日后成了他写作的材料。

少年时期的生活体验

长大的海明威愈来愈独立了，他不再需要爸爸妈妈带路，可以一个人从橡树园的家到华伦湖畔的温德米尔和朗费尔德农场。

1913 年，海明威升上橡树园溪林高级中学，这是一所四年制的当地名校。海明威在学校里认识了许多好朋友，其中一个叫做克拉拉汉。1916 的 6 月，学校放暑假了，海明威约克拉拉汉一起到密歇根湖作一趟环湖的徒步健行，终点是温德米尔，克拉拉汉欣然同意。

他们两人准备了手斧、锅子、钓具、火柴、罗盘、地图、刀叉，背了帐篷和毛毯，开始了这趟健行之旅。他们先从橡树园坐车到芝加哥，再从芝加哥搭蒸汽船到万卡马，然后顺着曼尼斯蒂河展开徒步之旅。这天，湖上大雾弥漫，两人沿着溪流走到熊崖，崖上地面干爽，是个搭帐篷的好地方。

“克拉拉汉，我们就在这儿搭帐篷吧?”

“这里不错，”克拉拉汉点点头，“旁边有溪流，取水方便，后面的高崖可以挡风，这样晚上大概冻不着了。”

两人七手八脚地把帐篷摊开，拿着手斧把几个支脚捶进土里去。克拉拉汉跑去捡枯枝当柴火，海明威拿出钓具、挂上鱼饵，到溪边钓鱼去。

“有了，有了，”没多久海明威大叫，奋力地提起钓竿，“这里的鱼儿可真肥呀!”

“哈,太好了!晚餐不会饿肚子了。”克拉拉汉胸前捧着满满的枯枝,从林地里走出来。

海明威提起渔获,两人回到营地,找出火柴,堆好枯枝,在下风处生起营火,把两条肥鱼架在木枝上,不时转动木枝烤起鱼来,偶尔撒一点从背包里找出来的盐巴。

“好香喔!”克拉拉汉边烤边闻,“我尝一口看看!”

“小心烫——”海明威话还没说完,就听到一声大叫。

“吁,烫死我了,我舌头毁了!”克拉拉汉舌头吐呀吐的,一只手不停地扇着风。

看着克拉拉汉那一副贪嘴的蠢样,海明威禁不住哈哈大笑。“哈哈,你这就叫做吃太快会弄破碗!”看着海明威脸颊沾着一抹黑炭留下的痕迹,克拉拉汉也不禁跟着笑成一团。

两个好朋友打打闹闹,一边吃着肥鱼,一边聊着明天往哪个方向走。潺潺的溪流逐渐隐没在黑夜中,远远近近的虫鸣不时传来,营火偶尔“嗤”的一声闪现火花。夜,好安静!

第二天一早,两人在鸟叫声中醒来,太阳公公才刚冒出山头,天气清爽无比,两人互看了一眼,拔腿往溪边冲刺,“噗!噗!”两声,两个大男生争先恐后跳进溪中打起水战,河里的鱼儿受这一惊,纷纷躲进巨石缝隙里。两人玩了一个早上,早就筋疲力尽,不过昨晚脏黑的身体现在倒是干干净净。午餐还是吃溪里钓上来的鱼儿,还加上从林中小径采来的莓果,比昨天的晚餐还丰盛。

午休过后，海明威和克拉拉汉收起帐篷和背包，开始第二天的步行。不知走了多久，遇上另一条河，眼看天色将黑，两人决定就在河边扎营。晚餐还是丰盛得不得了，这次有三条鱼，每人可以多吃半条呢！睡到半夜，帐篷帆布传来“咚咚”的声响，海明威探出头一看，外头竟然下起倾盆大雨了。营地离溪流很近，他们怕溪流暴涨，当机立断拔营走人。

走了大半夜，天色微微亮，来到一个旧河堤，克拉拉汉捉到两尾胭脂鱼，决定留着当早餐，可是一直找不到干爽的地方生火。这时，他们遇到一对老夫妻，两人实在又累又饿，就拿两尾鱼跟老夫妻换了一壶还带着微温的牛奶，总算稍稍止了饥。

一路上大雨下个不停，衣服和毛毯湿得可以拧出水来，最后两人干脆不睡了，遇到溪河，就拿出钓具钓鱼，倒也别有一番滋味。这样走走停停过了几天，总算来到了华伦湖畔的温德米尔木屋。两人把木屋的里里外外打扫得干干净净，等待爱德爸爸带全家人过来度假。

这一次的野营健行，让海明威充分体会了野外生活的乐趣。这只羽翼已丰的成鸟，胸臆之中似乎有了独飞的梦想。

高中四年，海明威兴趣变得很广泛。他听妈妈的话参加学校的管弦乐队，担任大提琴手；也加入学校的田径队，但他最喜欢的运动是美式足球，可惜身材太过于矮小干瘦，没能入选校队。

十五岁这一年，海明威好像一夜之间拔高了，身高体格完全遗传了父亲的好基因，加上面目清秀，一副美少男模样。这时候他赛跑、拳击、足球、游泳样样来，足球还是踢得不好，教练常常让他坐冷板凳。不知怎的，只要是和脚有关的运动他就显得很笨拙，包括跳舞。有一年，妈妈为他和姐姐举办舞会，邀请班上同学来参加，海明威为了尽地主之谊，只好邀请女同学跳舞，但他恨不得钻地洞躲起来，因为自己的那双大脚丫子老是在地板上拖曳，要不然就是踏到女同学的玉脚。

打拳击他倒是得心应手，常常和几个同学找个地下室练拳。海明威个头高，加上有天生蛮力，同学老被他打得哎哎叫；最后他干脆请了职业拳击手当教练，再利用周末去找拳击手对打。一段时间下来，进步神速。

海明威的功课仍然乏善可陈，表现特别突出的只有英文一科。他很自然地尝试写作，前后写了两篇故事，先后投稿到文学校刊《写字板》，没想到全都刊出了；不久他就成了《写字板》的记者和编辑。校内还有一份报纸《秋千》，海明威也是这份刊物的编辑。他的第一篇文章是《成功的音乐会》，那是他去聆听芝加哥交响乐团演奏后，回来写的实况报导。

"嘿，小拉德瑞，" 校刊的一名编辑叫住海明威，"来帮忙看看这篇文章需不需要修改一下？"

小拉德瑞？海明威的绰号？笔名？

都不是，拉德瑞其实是当时《芝加哥论坛报》的专栏作家，他的

专栏很受欢迎，读来风趣又含蓄，很有原创风格。海明威一直想模仿这样的文体，他写得也有几分像，所以校刊编辑都叫他“我们的小拉德瑞”。

一直到他高中毕业，他一共在校刊发表了39篇文章。作品有短篇小说、报导文学和诗作；内容有描写原始森林印第安人和白人的惨烈战役，也有叙述拳击手的写实生活。在华伦湖畔与印第安人相处的经验，是他写作印第安人题材的想象来源。至于拳击手，他本身就练习得有模有样，所以作品读来很有临场感。

海明威在写作和刊物编辑方面表现得很出色，老师和同学无不对他刮目相看。他也自忖，如果进入伊利诺大学就读，他会选择新闻系。相较之下，运动方面除了拳击之外，其他项目表现得都很平凡。至于大提琴，他打心底并不喜欢，只是迫于妈妈的期待才去学的。

1917年6月，学校大礼堂布置得富丽堂皇。150名毕业生齐聚一堂，海明威代表毕业生上台发表毕业感言，校长一一为大家颁发毕业证书。最后，在一阵乐声、鼓掌声中，大家把帽子丢向半空中，四年的高中生涯就在这温馨的一刻画下句点。

第二章 展开羽翼离巢独飞

离乡背井的菜鸟记者

海明威毕业这年的4月，美国正式对德国宣战，欧洲陷入第一次世界大战的混乱之中。许多热血青年纷纷志愿从军，开拔前往欧洲战场。

海明威也是热血澎湃，只是爸爸的一席话泼了他一头冷水。

“你的视力不行，军队不会收的！”爱德不希望儿子上战场，他私下盼望儿子可以继承自己的衣钵，就读自己位于芝加哥的母校——欧柏林洛许医学院。

“啊！”海明威宛如泄了气的皮球，喃喃自语，“是啊，我左眼视力恐怕不合格！”

海明威的左眼遗传了妈妈的视力不良。看来从军是不可行了，那么，去念伊利诺伊大学吗？许多高中同学都打算到伊利诺伊大学

就读。

“应该先学会如何写作!”心底有这么个声音传出来。

海明威几经思考,有一天,终于鼓足勇气来到父母跟前。

“亲爱的爸妈,”海明威深吸了一口气,“我决定不上大学了。”

“……”夫妻俩对看了半天,又看看这个已经和老爸一样高壮的大男生。

“那……你想做什么?”妈妈先开口。

“到城市去看看有没有工作,我想找个可以磨炼文笔的工作。”海明威心意笃定。

“也好,先去闯一闯,想读书再回来。”爸爸同意了,儿子不用上战场,还有什么好计较的呢!

泰勒叔叔住在堪萨斯市多年,有个老同学正巧是《堪萨斯星报》的总编辑,恰巧这家报社正想找个实习记者。泰勒叔叔赶紧通知爱德,要他叮嘱海明威早日到堪萨斯市去面试。

1917年10月,爸爸送海明威到橡树园火车站,父子俩在月台上望着火车将进站的方向,却默默无语。“嘟嘟——”火车来了。爸爸爱德回过头来,对着海明威一番叮咛,然后亲了亲他,眼泪不知不觉滴进了胡须里。海明威上了火车找到位子,隔着车窗向父亲挥挥手;火车缓缓起动,海明威望着月台上的父亲,望着父亲那流下眼泪的脸庞,鼻子不禁一酸,“啊,第一次感到父亲老了!”这时候火车嘟嘟作响,向着堪萨斯市前进。

《堪萨斯星报》是一家大报，在美国是很有权威的平面媒体。海明威顺利成为报社实习记者。《堪萨斯星报》支付他每周 15 美元的薪水，还有一本报社的《写作手册》。

“哇，真好，有钱可以赚的写作生涯。”海明威心中窃喜，他翻开写作手册，里头条列写作规则，共有 110 条，告诉记者写新闻稿时，要精简、利落、顺畅，写眼前所见的而非眼前所没有的。海明威把这些规则奉为圭臬。

他的主管派了一位名叫威灵顿的助理编辑来辅导他。威灵顿对新人的要求非常严格，常常在看过海明威的新闻稿之后，和他一起讨论如何修改。

“报导看起来很真实，不过这里会不会写得太琐碎了一点呢？”威灵顿指着稿件的某个地方。

“真的？我再看看！”海明威慎重地拿回稿子，仔细读了一次，是太琐碎了没错，自己竟然没察觉出来。“那么，我如果这么写……你看如何？”

威灵顿再仔细阅读一遍，确认这回的文字符合《写作手册》的要求。“不错，很好，很好，这样就对了！”

简洁，简洁，这是不二法的写作要求。

海明威负责跑社会新闻，当时的堪萨斯市民风强悍，犯罪事件频传，所以他常有机会采访意外事故、犯罪案件。堪萨斯市警察局和

市立医院里，几乎可以天天看到他的身影。海明威还会跑到事发现场去了解状况，重建一下事件现场，体会一下临场感；甚至随着警车、救护车第一时间抵达现场，亲自采访当事者或目击者。回到报社后，他就提笔写新闻稿，心中不忘“精简、利落、顺畅、写眼前所见的而非眼前没有的”。

这些社会材料实在太丰富了，每天都有新的事件、新的案情。紧凑的实习记者生活，让海明威像一块海绵似的，尽情地吸收膨胀，又像手里拿着放大镜般仔细地观察。在《堪萨斯星报》的菜鸟记者生涯，扎扎实实奠定了海明威未来写作的基础。

海明威在泰勒叔叔家住了几个礼拜，叔叔一家人待他都很好，不过他觉得这跟住在自己家里没什么两样，于是搬到朋友艾德加的住处。艾德加大海明威几岁，也是湖区来的，在堪萨斯市的一家公司工作。房间小很多，可是环境十分安静，是写作的好地方，海明威觉得十分自在。

这天，海明威认识了一位新同事——布朗贝克。布朗贝克刚从欧洲战场退伍回来。海明威第一次看见他时，心中打了一个大问号，因为布朗贝克有一边的眼珠子不动，应该是假的吧，这……这怎么入伍当兵啊？

“你……那个眼珠子，是……是……”海明威不知该怎么问才不会太失礼。

“假的，你想这么说吧。”布朗贝克倒是一副自若的神态。

“那你怎么能当兵呢?体检一定不合格啊!”海明威问了自己最感疑惑的问题。

“我考上了救护车的司机,就这么上战场啦,”布朗贝克据实回答,“从1917年的6月到11月,我一直在法国开救护车。没出过差错呢!”

救护车司机?一盏明灯似乎在海明威的眼前点亮,他觉得从军有望了。

1918年4月,《堪萨斯星报》的办公室收到一份电报,说是美国红十字会需要一名到意大利军队服务的志愿人员。海明威和布朗贝克两人偷偷打电报去申请,没多久,好消息就传来了:海明威和布朗贝克都通过了美国红十字会的申请。

支领了在《堪萨斯星报》的最后一笔薪资,海明威和布朗贝克告别了报社,两人又约了艾德加,一起回到华伦湖畔的温德米尔,他们打算在开赴欧洲战场之前再痛痛快快地钓一次鱼。不过,才到温德米尔没几天,红十字会的电报就来了,通知他们前往纽约接受体检。

5月,海明威和布朗贝克赶赴纽约,接受体检。海明威的身体状况很好,不过医师建议他去配一副眼镜。海明威领了一套正规的陆军官服,不过在衣领上多了红十字徽章,还有一双高统靴,整整齐齐地穿上之后,一名英挺的少尉就这么出现了。海明威觉得意气风发,十分期待早日赴抵欧洲战场。17日这天,威尔逊总统检阅军队,浩浩荡荡的75000名兵员,顺着纽约第五大道盛大游行,街道两旁是

举着国旗欢呼的平民百姓。身为其中一员，海明威深感与有荣焉。“我终于当兵了！”

远赴意大利前线

1918 年的 5 月底，纽约的港口停泊着一艘法国邮轮“芝加哥号”，七十多名的红十字会志愿人员即将搭上这艘轮船前往意大利。

“芝加哥？”海明威望着船身书写的船名，心里打趣着，“呵，离我家可真近啊，不过这船明明是要越过大西洋到欧洲的。”

“芝加哥号”在大西洋迂回前进，避免遭遇德国潜水艇的偷袭。途中巨浪翻腾，这艘大船像颗失去重量的铅球，在大海上被抛上抛下，船舷栏杆边挤满了呕吐的人。好不容易，船才在 6 月初抵达法国的波尔多。红十字会志愿人员先转搭火车往巴黎。这时德国的炮兵部队不时袭击巴黎，炸弹声不绝于耳。海明威和布朗贝克面露喜色，“啊，终于听到炮声了！”他们招了一辆车子就往炸弹声响的地方跑，在市区里溜达了几个小时，体验一下战火的滋味。

第三天，从英国来的红十字会志愿人员也来了，一百五十多名工作人员马上搭火车南下意大利。

转进意大利的米兰之后，没想到就在这儿遇到一起不幸事件。米兰郊区的一座兵工厂爆炸起火，厂区在轰隆一声之后陷入火海；大火慢慢熄灭后，海明威一行人负责进到灾区收拾残局。在厂内工作的大多是意大利籍妇女,没人幸免于难,工作人员捡拾飞散四周的残骸碎屑,没有头的身体,没有身体的四肢……心中的震撼难以形容。海明威想也没想到,投入战局的第一件工作,竟然是捡拾尸块。

这一突发事件结束后,海明威被分配到第四分队。第四分队的驻点很靠近前线,就在威尼斯北部。当时奥地利军队正火力全开地攻击威尼斯北方的皮亚维河岸,海明威这一行25人的救护队,依规定驻扎在后方的红十字军营地,他主要的任务是开着救护车驰往前线,将伤兵载回来,再分送到急救站或医院。

7月18日,一个黑漆漆的晚上,海明威骑着脚踏车到前线的指挥站。到了指挥站后,他头戴钢盔,下到更前方的战壕里,分发香烟和巧克力给隐蔽在壕沟里的弟兄,大伙儿说说笑笑,让绷紧的神经稍稍松懈一下。不久,炮声响起,奥地利军队从对岸发射炮弹,霎时火光四射,炮声隆隆。午夜刚过,一颗迫击炮飞越河流,在壕沟前方不远处爆炸,爆裂的铁片四散飞窜,一时之间,哀号四起。海明威觉得膝盖湿冷,一摸,啊,流血了!这时,旁边一名意大利士兵痛苦号啕,海明威管不了自己到底是不是受伤了,赶紧撑起身体,背着这名中弹的弟兄,试着将他送回指挥站。不知走了多远,听到一管重机枪横扫,只觉得双脚一软,身子一晃,他和背上的弟兄双双倒地。海明威拖着没有知觉的伙伴,匍匐了100码的距离,硬撑着到了指挥站,自己也已不省人事。

海明威醒过来时,人已经在急救医疗站,医生从他腿上取出28

块迫击炮的碎片，还有上百块的小碎片埋得太深，取不出来。待情况稳定，医生就把海明威转送到后方米兰的红十字会医院。

安稳地躺在医院病床上，海明威总算有机会仔细端详自己了。他看看自己，不由得吹了一声口哨。哇，还真像个木乃伊，全身裹在绷带里。

“还好吗？有没有觉得哪里不舒服？”一名护士看他蠕动着，凑过来询问状况。

一张俏丽的脸蛋俯视着，海明威的心不由得“扑通”一跳。

“没……没事，我很好。”海明威有点大舌头，心中暗地骂着自己是胆小鬼。

“不舒服就说，我晚点再过来量体温。”俏丽的脸蛋转身要走。

“嘿，等等！”俏丽的脸蛋转过来，海明威赶紧挤出笑脸，希望没有太难看。“请问，请问护士小姐的芳名是……”

“叫我艾格妮丝就行了。”美丽的脸庞转身，轻盈地走出去。

“艾格妮丝，艾格妮丝！”海明威喃喃念着，浑身轻飘飘。

艾格妮丝是红十字会的护理人员，来自美国华盛顿特区，一头深棕色头发，挺直的鼻梁，明亮的双眸，还有含笑时嘴角微露的雪白牙齿，十足是个美人坯子。艾格妮丝年纪比海明威大，她这年二十五岁，而海明威还要过几天才满十九岁呢！

海明威除了有高壮的体格、英俊的容貌之外，全身还散发着一股魅力。那股魅力应该是孕育自华伦湖的大自然，也可能来自实习记者生涯的历练和在前线对铁血人性的领悟。总之,不去理会年龄的差距,这两人是彼此吸引的。

红十字会在1918年的7月,发了一通电报给海明威的父母,告诉他们:海明威在意大利前线受伤了,目前正在医院治疗休养。稍后,海明威也发了一通电报回家,告诉父母:意大利政府准备颁授他一枚“陆军英勇银勋章”,因为他不顾生命危险救了一名意大利士兵。爸爸爱德很高兴,不过还是保持一贯的谦逊;妈妈格蕾斯倒是很激动,高兴地大叫:“我的儿子是英雄!我的儿子是英雄!”

在医院疗伤的日子很无聊,而且没什么娱乐活动,海明威常偷喝几杯小酒,或是以翻看报纸来打发时间。幸好,有艾格妮丝作伴聊天,躺在病榻的日子总算不太难挨。

经过三四个月的休养,海明威总算康复了,他即将回到阔别大半年的美国。这一趟意大利之行,让海明威觉得了无遗憾。他贡献心力捍卫国家,见识了欧洲战场的悲壮,在时代的“大事记”里,他很荣幸自己没有缺席,尽管肉体因此受到过创伤,但心灵和精神上的收获,却是终生难忘的。海明威很庆幸自己当初的决定是对的。

这场发生在意大利的战役,以及他和艾格妮丝的烽火恋情,赋予海明威丰富的生活题材。他自己并不知晓,在未来的岁月里,他会将这一段战地罗曼史化为文字,成为人人捧读的名著,而且奠定了他在世界文坛的地位。

荣获勋章的大战英雄

1919 年的 1 月，纽约的港口挤满人群，好多人手上拿着摄影机，他们都是媒体记者，听说这天有光荣伤退的士兵归国，大伙儿严阵以待，看看能不能采访到独家新闻。

“轮船进港了，来了！”人群起了骚动，纷纷望着港外。

一艘邮轮鸣着汽笛，高大的船身缓缓开进港口，船身略微一转，轻巧地停靠在码头。一支军乐队奏起愉快的旋律，欢迎这艘载着美国子弟兵的轮船从意大利热那亚远航归来。

海明威拄着拐杖，一跛一拐地从舷梯上下来，身上还穿着英挺的少尉军装。他才一踏上码头，报社记者纷纷围了过来，准备采访他在意大利的英勇事迹。

“请问你是怎么受伤的？海明威先生。”记者发问。

“喔，在战壕里被奥地利军队的迫击炮击中，迫击炮的碎片嵌进了身体里。”

“我看你走路还一拐一拐的，是不是还没好？”

“嗯，我身上还有上百块的碎片取不出来，应该再过一阵子就没事了。”

“一百多块碎片？”记者的脸上出现崇敬的表情，“你一定是参加了 11 月的那场激战！”

11 月？不，我没有，那时我早已躺在医院里疗伤了。海明威心中

如此言语。他本想开口澄清，不过那记者表情是那么的尊敬，仿佛从那场战役里活过来是了不得的大事。海明威不忍戳破，他没有否认，因为他也很享受这种崇拜的眼光。

在纽约稍事休息，海明威转乘火车抵达芝加哥。爸爸爱德带着大女儿玛斯琳来接他。当望见海明威一瘸一瘸地步下火车台阶时，爱德眼中不禁流下泪来，几个月来的牵肠挂肚，如今终于盼到无恙归来的儿子。

父女俩迎向前去。

“欢迎英雄归来!”玛斯琳激动地拥抱弟弟，脸上流下快乐的眼泪。

“玛斯琳，我很想念你呢!”海明威空出一只手来，回抱着姐姐。

“你变壮了!”爸爸看着和自己一样魁梧的儿子，满脸的骄傲。

“爸，好久不见，”海明威转头看着父亲，脑中浮现高中毕业那年到堪萨斯市当实习记者，父亲在月台上挥泪送别的一幕，鼻头不禁有点酸涩。“这段时间过得还好吗?”

“好，好，只是变老了一点!”爱德故意蹙着眉头，把脸上的皱纹挤得更深。他抱抱儿子，感觉军服底下的身子骨是瘦削了一点，不过很结实。

海明威回抱了父亲。“妈妈好吗?”

“你妈妈好得很，成天教着学生唱歌弹琴。现在逢人就说你的丰功伟业，骄傲得不得了呢!”

“呵，妈妈还是老样子。”海明威觉得有点腼腆，自己不过就是受了伤，救了人罢了。

“走啦，一定要在这月台上吹寒风吗?”玛斯琳催促着，“爸，你赶快跟弟弟回橡树园吧，途中放我在学校门口下车，还得回学校呢!”

玛斯琳在芝加哥念大学，平常就住在学校宿舍，今天特地逃课来欢迎大半年没见的弟弟。

1月份的芝加哥，到处飘着白雪，父亲爱德开车驶过积雪覆盖的街道，先把玛斯琳送回学校，然后父子俩就往橡树园的方向直驶。

回到橡树园，看着街道两旁的维多利亚式建筑、久未进入的教堂……

“真的回到家了!”这熟悉的景致让海明威感叹地说。

爸爸转头拍拍他的大腿，“回家的好，回家的好。”

妈妈格蕾斯、妹妹卡洛尔、弟弟莱斯特都在家。莱斯特才四五岁，仰望着高头大马的海明威说：“哥哥，欢迎你回家。”

海明威空出拿拐杖的一只手，捏着莱斯特可爱的小脸颊。“小鬼头，才半年没见，你长这么高啊! 看来，再过几年，你就会和大哥一样高了。”

这话让莱斯特高兴得跳个不停。

卡洛尔也凑了过来，她这年十岁。“大哥，你脚会痛吗?”

“不大痛了，再休息一阵子就能痊愈，谢谢你关心哪!”海明威摸摸小妹的头。

接着是妈妈格蕾斯。她拥抱着儿子,高兴地拍拍他的臂膀。

“小伙子,干得好。你的所作所为像个大战英雄,妈妈以你为荣,你让我们全家与有荣焉!”

“妈,我没那么伟大啦,不过就是受了点伤而已。”海明威嘴巴这么说,脸上倒是一副欣然接受赞誉的表情。

“那枚什么银的什么勋章,拿出来让妈瞧瞧。”格蕾斯一直记挂着儿子电报中提到的受赠勋章。

海明威把勋章从上衣里袋掏了出来。

“哇,看来好像真的是银的。孩子的爹、卡洛尔、莱斯特,你们看,真是漂亮啊,还闪闪发亮呢!”大伙儿看着那枚有巴掌大的勋章,口中啧啧称赞不已。

“收好呀!”格蕾斯把勋章还给儿子,“对了,有几封意大利的来信。卡洛尔,到门厅的小几上把你哥哥的信拿过来。”

卡洛尔听话地跑到门厅去,把信拿回来递给哥哥。海明威接过来一看,有几封是同侪寄来的,有几封是艾格妮丝的来信。

“爸,妈,”海明威抬起头来,“我先上楼到房间休息一下。”

“嗯,好好休息,晚餐再叫你了。”格蕾斯体贴地说。

海明威回到楼上的房间,迫不及待地把艾格妮丝的信拆开来,艾格妮丝向他问好,询问脚伤复元的情况。

这让海明威想起在米兰红十字医院养伤时,艾格妮丝的小心呵护和呢喃细语,一股相思之情陡然生起,他马上拿出纸笔,振笔疾书,把款款相思化为字字柔情。

海明威天天写信给艾格妮丝，不过艾格妮丝大概太忙于照顾病患了，回信久久才来一封；相隔两地的恋情真是辛苦无比。不久，艾格妮丝又来了一封信，信中说她爱上了别人，一个年轻的拿坡里军官；之后，再也没有艾格妮丝的只字片语，这段恋情就这样断了线，像风筝一去不复返。

海明威愤怒不已，整个人发了烧，躺在床上几天才下得了床。从此，他不再谈起这段感情。

海明威虽然伤还没好，但是整天待在家里也挺烦心的。于是，午饭过后，他通常会套上军装，穿上高统靴，拄着拐杖出门去散步。

有一天，在路上遇到了一名当地报社的女记者，女记者问他方不方便到报社坐一坐，接受采访。海明威答应了她，反正没事，这可以消磨不少时间。

这一段采访隔天在《橡树园人》发表。文中叙述海明威不愿大家称他为英雄，说他只是尽自己的本分和义务，做应该做的事而已。若有机会，国家需要他时，他还是会毫不犹豫地报效国家。

新闻见报之后，海明威接到了几封邀请函，邀请他前去谈谈战时见闻，这其中还包括他的高中母校。

海明威应邀出席，他还带了许多战利品，包括奥军的钢盔、手枪、他受伤那晚佩戴的肩章等。

海明威娓娓道来，述说自己那个晚上是如何骑着自行车上前

线，如何下到战壕里探望士兵，迫击炮如何在面前几公尺处爆炸，自己如何受了伤，如何背着重伤的意大利士兵回指挥站，如何倒地不起……海明威侃侃而谈，生动的表情加上有力的手势，学生个个听得入了迷。

邀约慢慢地少了，海明威的伤也好得差不多了。不过他还是成天套着军装、穿着高统靴，游荡四方。妈妈格蕾斯渐渐有些不耐烦，唠叨他为何要游手好闲，为什么不找点事做。

新婚妻子赫德莉

1919年7月，海明威终于摆脱相随多时的拐杖。

“总算可以自由自在地跑跳了！”他兴奋极了，马上邀了好朋友比尔，两人开车前往松谷去钓鱼。比尔是圣路易斯人，大海明威五岁，每年夏天都住在霍托湾的姑妈家，位置就在温德米尔西面两公里处。松谷是一大片林木和湖泊交错的自然野地，位于霍托湾东南20公里的地方。他们在岸边扎营，每天不是钓鱼就是游泳，生活过得惬意无比。湖里的野生鲑鱼肥硕多脂，两个大男生厨艺虽然不精，不过生着篝火，把鱼架好，翻烤两分钟，烤鱼的香味马上弥漫了整个营地。

这样的生活让海明威想起高中时期，和克拉拉汉同行的环湖徒步之旅，那不过是三年前的事而已，如今想来怎会有一种历尽沧桑的感受呢？自己也许应该独立了，不能再像个寄生虫一样窝在父母的羽翼下了！

回来之后，海明威正好接到一份演讲邀约，邀请单位是在密歇根湖畔的佩托斯基公共图书馆的妇援会，海明威欣喜赴邀。

听众之中有位康诺伯太太，当她聆听这位大男孩演讲时，眼前不禁浮现儿子的容貌，儿子柔弱、缺乏自信、不爱运动，一个礼拜大部分时间都窝在家里；然而在这演讲厅里，她感受到这位大男生散发出来的无比自信和阳光个性。到底是哪里出了错，让两个年龄相差无几的男孩子，表现出迥然不同的性格？

康诺伯太太觉得自己必须做点什么，好扶助儿子一臂之力。

演讲结束之后，海明威受到一群婆婆妈妈的包围，大家好奇地提出许多问题，还毫不吝啬地称赞这名才踏出高中校园三年的大男孩。康诺伯太太耐心等大家渐渐散去，这才走了过去。

"海明威先生，你好！"康诺伯太太说。

正准备走人的海明威闻声转过身来。"是，您好，有什么我能效劳的吗？"

"有一件事情实在很冒昧，希望你不会觉得我太突兀了！"

"哪里，哪里，请说。"海明威心想，难不成要问我跟艾格妮丝后来怎么样了？

"是这样的，"康诺伯太太微微一笑，"刚刚听你演说，觉得你有一股自然散发的成熟和自信，那是我儿子所没有的，而你也不过大我

儿子几岁而已。”

“谢谢，您太谦虚了。”海明威纳闷着，怎么提到她儿子了。

“我说的是实话，”康诺伯太太强调说，“我儿子需要有一个榜样，让他看看什么是自信，什么是智慧，最重要的是，让他了解体能活动的重要性，享受户外运动的乐趣。”康诺伯太太停了一下。“而你，海明威先生，你无疑是教导我儿子最完美的人选，能不能请你考虑一下，到我家来住一段时间，陪我儿子读书、运动？”

“啊？”这倒是出乎海明威意料之外，他有些愣住了。

“我们家住在加拿大的多伦多，这个冬天我和我先生会到佛罗里达去度假，如果你时间许可，你能不能在我们不在家的这段时间，到多伦多陪伴我儿子？当然，我们会签一份工作合同，保障彼此的权益，也会支付你合理的费用。”

多伦多？那不是《多伦多星报》的所在地吗？海明威思忖着。这个工作似乎可以接受，可以顺便探听在《多伦多星报》工作的可能性，陪伴小康诺伯的余暇还能写写稿子，一举两得，何乐而不为呢？

“康诺伯太太，承蒙您看得起，我当然不能辜负您的期望，”海明威表情诚恳，“我很荣幸有这个机会到府上服务。”

“喔，真是太好了！”康诺伯太太抚着胸口，“我们十分期待你的到来。”

大雪纷飞的冬天来了，海明威离开橡树园，坐着火车北上到加拿大的多伦多。

康诺伯家在一片森林旁边，是座宽敞的大房子，除了客厅、卧房、餐室、厨房等基本隔间之外，还有桌球间和音乐室。屋子后院是一座网球场，现在冬天了，冻结的冰面让网球场成了临时溜冰场。

康诺伯一家人都很亲切，康诺伯先生是一家公司的董事长，女儿多萝丝战后曾经到法国和德国的基督青年会服务过。

“咦，你也到过战区吗？”海明威觉得这个女生不简单。

“不算战区啦，我是战后才过去的。”多萝丝的语调轻柔。

“那还是算啰，满地的战火残遗，那景象也够惨的了。”海明威摇摇头，“啊，你知道吗？我们两个都是年轻的老战士。”

这话逗得多萝丝咯咯笑个不停。

海明威对康诺伯家的环境感到很满意，加上他和小康诺伯也挺合得来的，两个人一起去参加了好几次冰上曲棍球活动，小康诺伯的体能明显进步很多。

没几天，海明威请教康诺伯先生，是否能帮他引见《多伦多星报》的编辑，康诺伯先生一口应允，介绍了一位老编辑克兰顿。克兰顿看过海明威的文稿，觉得这个青年未来前途看好，于是大力提携。海明威也不负期待，从2月中到5月中一共写了十篇短篇小说，陆陆续续刊登在《多伦多星报》的周刊版。他父亲爱德在橡树园读到了这些作品，写了封信告诉儿子说：你的小说写得很好。

5月中旬，海明威的合约到期，他告别康诺伯家，回到橡树园。

在家中度过二十一岁生日后，海明威正式离家，前往芝加哥，准备找寻自己的人生之路。

他在芝加哥和朋友合住一间公寓，又在一家月刊社找到朝九晚五的撰稿工作，海明威做得挺起劲的。

到了秋天，有个朋友邀海明威到家里参加派对。在这个聚会中有个从未谋面的女孩——赫德莉，她是圣路易斯人，与她相依为命、长年卧病的母亲刚过世不久，这回她是到芝加哥来透透气的。

赫德莉身材高挑，一头红发衬托着出她的妩媚。她看着聚会中的海明威——身材魁梧，在众人之中显得玉树临风，谈笑风生之际，总是露出一口洁白的牙齿，潇洒的模样，让她一见钟情。海明威对她也是印象深刻，彼此都有心仪的意向。

赫德莉在芝加哥待了三个礼拜，就回到圣路易斯去了。两人开始鱼雁传情，情书写得多了，又害起相思病来，赫德莉鼓励海明威到圣路易斯来看她。不过到圣路易斯谈何容易，海明威才工作没多久，攒下来的钱还不够打理自己的门面呢，更遑论是一笔旅费了！

一直到了来年的3月，海明威工作稳定，收入总算可以凑出旅费来了，于是决定接受赫德莉的邀约。他做了一套崭新的西装，披了一件意大利军官大衣，十分潇洒地来到圣路易斯，两人相见，才知道彼此的思念有多深！

假期一过，海明威不得不回到芝加哥继续工作。两个礼拜之后，赫德莉带了三名女友到芝加哥回访，女友对赫德莉的选择都表示赞同，觉得这样的夫婿是无可挑剔的。赫德莉足足大海明威八岁，虽然两人相爱，但她总是觉得不踏实，怕海明威会因为她的年纪而不肯娶她。

赫德莉太多虑了。

海明威写了一封信给父母，告诉他们自己和赫德莉交往的情形，表示两人真心相爱，希望能早日结婚。

不久，赫德莉收到格蕾斯寄来的一封信，信中表明，她和先生爱德很高兴听到她和海明威彼此相爱，希望他们结婚能到华伦湖畔的温德米尔小屋度蜜月。

“啊，真是太好了，没想到海明威一家人这么贴心。”赫德莉捧着书信，快乐的泪珠滴洒在信纸上。

婚礼定于 9 月 3 日在湖区的教堂举行，亲朋好友都来了，连远在多伦多的康诺伯太太也带着儿子一起来祝贺。

婚礼结束后，海明威和赫德莉接受众人祝福，走出教堂大门，上了好朋友开的礼车，来到湖边码头。夫妻俩划船到华伦湖畔的温德米尔小屋，小屋早已修缮一新，温馨地等待这对新婚夫妇大驾光临。

第三章 在欧洲文坛崭露头角

艺文荟萃的花都巴黎

赫德莉虽然父母双亡，不过她有一笔信托基金，每年入账 3000 美元，这足够她们小两口简单过生活。于是海明威辞去月刊社的工作，只为《多伦多星报》写些稿件，其余时间就全心全力投入写作，往作家生涯迈进。

赫德莉憧憬着陪同海明威前往意大利游览，海明威也希望有机会重回战时旧地，会一会老战友。

夫妻俩常应邀到朋友家中小坐。有一天，来了一位面生的中年人，朋友介绍说："这位是知名的作家薛伍德·安德森。"安德森这年四十五岁，出版的作品《小城故事》为人所熟知，是美国文学界相当敬重的作家。

在聊天的过程中，安德森知道这小两口想去意大利，于是语重心长地说："作家该去的唯一地方，是巴黎，不是意大利。"

这话让海明威感到震撼。

"意大利气氛闲适，适合捕鱼；巴黎有严肃的艺术和经常出入的知名作家。你想当个严肃的作家，就该到巴黎去见见世面。"

这话言之成理，海明威决定接受安德森的建议，改订往巴黎的船票。1921年12月，他和赫德莉愉快地搭乘法国邮轮出发前往巴黎。

海明威和赫德莉在一个寒冷的早上抵达巴黎，他们住进一个小旅馆，在附近的餐厅用餐，消费比起美国平实很多，这让小两口稍稍喘了一口气。

安德森先前已经写信给人在巴黎的朋友加兰提耶，请他多多照顾海明威这对年轻夫妻。加兰提耶二十六岁，在美国商会任职。

这一天，他来到海明威夫妇入住的小旅馆，准备尽地主之谊，请他们吃晚餐。

经过一番闲聊，海明威看加兰提耶生性活跃，竟然提出不情之请："你玩拳击吗？要不要和我比赛一场看看？"

加兰提耶赶紧摇摇头，鼻子上的眼镜也跟着晃荡。"不了，不了，我不好此道。"

海明威哪由得了他，把袖子卷了起来，就在那边跳呀跳的。加兰提耶勉强同意，把外套脱了，把眼镜拿了下来，左跳右跳地陪着打了一回。他气喘吁吁地把外套穿上，眼镜戴上，转头说了一句："晚餐请……"

话没说完，海明威一记左钩拳挥出，硬生生将加兰提耶的眼镜打碎！

"啊！"这突如其来的场面让三人都很尴尬，海明威说了对不起，赶紧弯腰把碎片捡起来。"这……看来是报废了！唉，怎么办？"

加兰提耶倒是一笑置之，直说："没事，没事。"真是大好人一个。

圣诞节过后，加兰提耶帮他们在塞纳—马恩省河附近找了一幢四层楼公寓上的一个小房间，房间只够摆一张双人床。不过海明威很高兴，因为这是长久以来，他第一次可以不受干扰、安安心心地写作。

海明威每天忙于找题材、写作，可是下笔总是困难无比。他手中有安德森的几封介绍信，引介他认识1920年代自我放逐到巴黎的美国作家，其中最有名望的是女作家葛楚·斯坦因[1]。过了三个多月，海明威终于鼓足勇气，带着赫德莉去拜访斯坦因。斯坦因住在一幢漂亮的房子里。

"赶快进来坐！"她热情地欢迎海明威夫妇，泡上热热的茶，摆上几碟点心，让这对年轻夫妻感动不已。

"这位是托克拉丝，我的密友。"托克拉丝和斯坦因其实是一对同性恋情侣，两人在巴黎已经好多年了。

1　1920年代，美国有一群作家因为无法认同美国社会追求物质的价值观，而自我放逐到欧洲，定居在巴黎。葛楚·斯坦因（1874—1946）是其中一位知名的女作家，曾经指导初出茅庐的海明威。

“这是我的妻子，赫德莉。” 海明威也介绍赫德莉给她们认识。

斯坦因和托克拉丝都很喜欢这一对年轻夫妇，斯坦因更把这个大男孩看成是自己的儿子。海明威觉得无妨，斯坦因这年四十八岁，差不多就是妈妈格蕾斯的岁数。两人相谈甚欢，海明威觉得收获颇多。

一个礼拜之后，斯坦因和托克拉丝也来拜访海明威。那窘迫的房间没椅子，斯坦因只好一屁股坐在双人床上。海明威忙不迭地把自己的小说和诗作拿出来请她过目。她对海明威的小说不予置评，但是倒觉得他的诗写得还不错，只是“太多描述，应该要精简”。这算是中肯的评论。

“精简”，是海明威当实习记者时报社的写作规范，时隔多年，海明威依旧没能完全掌握。当时的文风流行“新哥德派” 的风格，喜爱装饰堆砌、引经据典，要突破谈何容易。斯坦因虽是改革先驱者，也还没能达到炉火纯青之境呢！

海明威还认识了一位在巴黎开书店的美国女性——雪维尔·毕奇。毕奇开的书店叫莎士比亚，常有文艺界人士出入其间，比如在一年后出版名作《尤利西斯》的乔伊斯。海明威很快就成了莎士比亚书店的常客，经常到书店里翻看文学名著，和知名文人促膝长谈。

诗人庞德[1]也和海明威成了朋友。庞德是个引领后进的先驱，他指导过的后生晚辈包括《荒原》的作者艾略特、《尤利西斯》的作者

1　庞德（1885—1972），著名的美国诗人，提倡意象派的写作风格。代表作品有《神州行》和《诗章》。

乔伊斯等。海明威后来说："庞德教我写什么，也教我不写什么。"庞德帮海明威开了书单，希望他多多阅读几位作家的书籍，包括荷马、乔叟、但丁、福楼拜、司汤达、乔伊斯、艾略特和亨利·詹姆斯等人的书，海明威言听计从，看完之后，有所心得就马上提笔练习。

海明威当初从美国出发时，还接受了《多伦多星报》的任务，担任报社派驻欧洲的记者。

1922年4月，国际经济会议在意大利热那亚举行。这是第一次世界大战之后，德国首次参加国际会议，不过美国拒绝参加，使得会议带点紧张气氛。《多伦多星报》拍来一封电报，派遣海明威去采访这次会议。

海明威带着赫德莉搭乘火车南下热那亚，车上同行的还有多位英、美记者，一路上大家随意闲聊，很快就到了热那亚。

几天的国际经济会议下来，海明威以加拿大人的眼光，报导会议的实质意义，他提醒加拿大国内读者提防法西斯主义[1]。他陆陆续续写了15篇报导，《多伦多星报》实时在日报版发表，由于内容确实快速，读者赞誉不绝。反观纽约的各家报社只是零星刊登，气势真

1　法西斯主义是一种在特定历史条件下形成的国际现象，反对民主主义和自由主义，主张建立集权主义统治，实行全面统治和恐怖镇压。意大利的法西斯主义就是独裁主义的政治运动，在墨索里尼的领导下统治了整个意大利，从1922年一直持续到1943年为止。严格说来，法西斯主义通常是指意大利的墨索里尼政权，不过也经常用来形容类似的意识形态和运动。

是差了一大截。

热那亚的国际会议采访行程结束之后，海明威带着赫德莉在意大利各地旅行。他想念战时在意大利服役的地方。他去了米兰，听说墨索里尼[1]正在当地，就拿着记者证，要求采访墨索里尼。这时的墨索里尼还没夺得政权，他领导的黑衫军正和政府军作战。采访结束，海明威对这位独裁者的观感是，“全欧洲最会虚张声势的人”。

回到巴黎之后，海明威开始埋头写作。他上午写作，下午或出去和朋友见面，或者到街上走走，寻找灵感。

到了9月，《多伦多星报》再次电告海明威，请他前往君士坦丁堡采访希腊和土耳其的战事[2]。

“把工作推辞掉，别去了吧！”赫德莉希望海明威听她的话，毕竟那是完全陌生的国度，她心中极度不安。

“相信我，赫德莉，我也不想去，不想让记者工作妨碍到我写作的正事，”海明威无奈地说，“可是报社会支付不错的稿费，我们需要

---

1 墨索里尼（1883—1945），意大利独裁者，他成立了“意大利法西斯党”，迫使意大利国王任命他为首相，然后对内镇压所有的反对党和民主运动，对外发动侵略战争，并与德国希特勒签订协约，向英、法宣战，形成第二次世界大战邪恶的轴心国一方。墨索里尼的高压极权统治引起意大利人民的不满，使他在1943年被国王撤职，1945年在意大利北部潜逃时遭人民游击队虏获而枪毙。

2 希土战争历史上发生过两次，一次在1897年，又称为“三十天战争”。第二次在1921至1922年，两国为了小亚细亚的土地而互相攻打。后来两国签署了《洛桑条约》，才结束这一场战争。

那笔钱!”

赫德莉虽然知道丈夫说的是事实,但一想到他要在中东战场进出采访,还是很坚持希望丈夫不冒这个险。

赫德莉三天不跟海明威说话,海明威只好默默地离开,前往中东。

第一本作品

中东采访之行是辛苦的,君士坦丁堡的气候干热,街道脏乱无比,人声嘈杂。更麻烦的是,海明威犯了疟疾,医生帮他开了药,不过身体还是虚弱得很,有几个采访他根本无法负荷。

有一天,他身体好些了,在街上走了一阵子。这时,一队队的希腊士兵纵队从他身边走过。海明威看着他们,他们套着不合身的美国军装,全身脏污,神情疲惫,开拔往乡下的方向。海明威写了几篇报导发给《多伦多星报》,在报导中,他称呼这支军队是“希腊光辉的余烬”,用词之巧、形容之妙,让人今古对照之余,不免发出欷歔之叹!

海明威在君士坦丁堡待了三个礼拜之后,返回巴黎。赫德莉看到海明威时吓了一大跳,海明威全身脏乱,身上被臭虫叮得斑痕点点,惨不忍睹。

“看吧,不是跟你说别去了吗,看你搞得灰头土脸的。”赫德莉心疼地说。

“嗟,”海明威舌头弹了一下,“还以为你从此不会跟我讲话了呢!”

“看到你回来，高兴都来不及了，哪还生闷气哪!”

“我帮你带了礼物回来。”海明威拿出一条象牙项链、一条琥珀项链、一瓶玫瑰精油，递给了太太。

“谢谢。”赫德莉笑嘻嘻地接过去，踮起脚亲了海明威一下，“你一定很累了，去休息吧!”

海明威洗了澡，一上床就沉沉睡去。

这一趟中东采访之行，《多伦多星报》支付给海明威 400 美元。有了这笔钱，海明威可以暂时安心写稿，不必管柴米油盐酱醋茶之类的小事。

庞德看得出年轻的海明威才气洋溢，恰好他正准备编一套六卷本的小丛书，于是向海明威邀稿，请他写些作品。海明威受宠若惊，马上答应，精神高亢地提笔书写。

两个月后，海明威到瑞士洛桑采访希土两国的和平会议。这时传来了好消息，人在美国的安德森推荐海明威的一首四行诗，终于刊登在美国一份重要的文学期刊上，虽然是用来填补威廉•福克纳[1]一首长诗的版面，海明威还是深受鼓舞。他马上打电报给赫德莉，请她带着他的全部手稿到洛桑，他要精挑细选一下，看是不是有其他作

1 威廉·福克纳（1897—1962），美国密西西比州的新奥尔巴尼人。他深受家庭传统和南方风土人情的影响，作品总是带有南方人特有的幽默感，深入刻画黑人与白人之间的敏感问题，也生动描绘惟妙惟肖的南方人形象，是“南方文学”流派的代表人物。1949年获得诺贝尔文学奖。

品可以修改，再寄给安德森发表。

赫德莉把海明威的手稿装在一只手提箱里，在巴黎里昂火车站等待前往瑞士的火车，没想到她视线才稍微离开一下，那只手提箱竟然不翼而飞。海明威知道了以后，急得像热锅上的蚂蚁，马上坐火车赶回巴黎寻找，可是谈何容易！之前的辛勤笔耕，如今一切归零。海明威只能自我安慰，这未尝不是好事，一切重新开始。

圣诞节前夕，海明威结束洛桑的采访工作，他领了稿费，决定带赫德莉去滑雪，好让彼此忘了手稿被偷的憾事。

1923 年夏天，庞德从西班牙的海边小镇拉巴洛来信，邀请他和赫德莉过去玩几天，余暇时间可以住在那边写稿。

海明威带着赫德莉到西班牙，这里风景虽美，可惜天气湿热，海明威写得有点心烦意乱。

有一天，海明威遇到了一位美国诗人和小说家罗伯·麦克亚蒙。

"你是哪里人?" 海明威客气地询问麦克亚蒙。

"喔，我是堪萨斯人，你呢?"

"堪萨斯? 嘿，你知道吗? 我高中毕业之后，曾经在《堪萨斯星报》实习了半年呢!" 海明威挺怀念这个地方的，脑中不禁浮现几位报社老编辑的面容，还有实习时救护车一路急响的警笛声。"对了，我来自伊利诺伊州的橡树园。"

"好地方!" 麦克亚蒙称赞了一声，"我听说你写诗，也写短篇小说，是不是有作品可以提供呢？我刚开了一家出版社，需要开拓一些稿源。”原来麦克亚蒙在巴黎开了一家出版社，正在到处找寻可以出版的文稿。

“啊，有的，我手边是有一些现成的手稿。”海明威心中暗喜，有人要帮我出书了吗？“有三个短篇小说，还有好几首诗。”

幸好海明威把手稿带来西班牙，他回去找出了手稿，交给了麦克亚蒙。

到了7月，海明威收到麦克亚蒙寄来的出版校对稿，他高兴极了，重新阅读，仔细校对；又怕自己见识不广，再把校对稿送到斯坦因家中，请教她的看法。斯坦因很快看过，给了一些版型上的建议，海明威觉得这建议很好，欣然受教。他写了一封短笺，附上修改的校对稿，寄回给麦克亚蒙。

时序进入8月，这本书在巴黎出版了，书名就取为《故事三则诗十首》，初版仅印了300本，扉页上印着：献给赫德莉。

这是海明威的第一本作品，它宣示海明威已经叩开了文学殿堂的大门。至于何时登堂入室呢？这位颇具天分的作家似乎不想让世人等太久。

赫德莉此时已经大腹便便，对食物的口味比以往更挑剔，人也懒懒的不想动。海明威细心照顾，揽下大部分的家务。这样一来，专心写稿的时间又被剥夺了。最后，夫妻俩决定回到加拿大多伦多待产。

这年8月，海明威挥别巴黎，携着怀胎八月的赫德莉，搭上邮轮

往北美前进。邮轮在大西洋中航行,入夜,水面映着月光,悠悠荡荡。海明威心想,何时能再回到巴黎呢?

长子班比

海明威和即将临盆的赫德莉回到了加拿大多伦多之后,康诺伯夫妇帮他们找了一间房屋租下。一切安置妥当,就等赫德莉肚子里的小孩呱呱坠地了。医生说,预产期大约在10月底到11月初。

海明威向《多伦多星报》报到,主编换人了,是个叫亨德马斯的,他让海明威改跑罪犯路线。

10月初,报社派海明威到纽约采访英国首相来访。他没料到,赫德莉肚子里的婴儿似乎迫不及待想看看这个世界。10月10日,一个胖胖的男婴顺利来到人间,海明威风尘仆仆地赶到医院,身体疲惫不堪,心情倒是愉快极了。

“我当爸爸了!”海明威看着小男婴。小男婴酷似自己,有深棕色的头发,蓝色的眼睛,高挺的鼻子。

“辛苦你了,觉得还好吗?”他问赫德莉。

“比我预期的轻松,别人实在把生产描述得太辛苦了。”赫德莉愉悦地说。

他们俩为婴儿取名约翰·赫德莉·尼卡诺。“赫德莉”自然是感念辛苦的妈妈,“尼卡诺”则是夫妻俩很欣赏的一名西班牙斗牛士。

婴儿的全名实在是太长了,后来大家都叫他的小名“班比”。

小班比一天一天渐渐长大,他认得了海明威的脸孔,听得出海明威的声音,常常对着爸爸咕咕地笑。海明威写了一封信给斯坦因,告诉她赫德莉生下了一个胖小子,“我越来越爱我这小宝贝了”。

生儿大事算是告一段落了,海明威把心思重新放回写作计划。

他从巴黎带回了一大堆《故事三则诗十首》,可惜的是,美国文学评论界并没有注意到这本书。海明威相当失望。

不过有朋友告诉海明威,评论家爱德蒙·威尔逊曾经在一本《小评论》中提到过他,提醒读者留意这位新兴的青年作家。

海明威心神为之一振,马上提笔给这位评论家写信,还附上《故事三则诗十首》,请他多多指教。

过了一阵子,海明威收到威尔逊的回信,说他仔细阅读了海明威的作品,书中有几篇写得很好,像《我的老人》,让他联想到安德森的短篇小说。他还说,海明威的短篇小说写得比诗好,他会在杂志上发表一篇简短的评论。

海明威回信表示感谢,说他并不认为自己的短篇小说有安德森的影子。至于那篇简短书评,可否等到12月,他的另一本书《在我们的时代》出版了,再两书一起评论。

《在我们的时代》是位于巴黎的美国出版商博德为海明威出版的。成书在圣诞节后寄来,书的装帧非常精巧,前页有一张海明威的木版画,那是1922年亨·史崔特为海明威画的肖像。《在我们的时代》

一样发行300册，海明威赶紧寄了一本给威尔逊。

1924年1月，海明威正式请辞《多伦多星报》记者一职。原因是，新任主编挺难相处，总是找他的碴。他把《故事三则诗十首》带到《多伦多星报》办公室让同事传阅，也被斥责为夜郎自大。

无事一身轻，海明威准备携家带眷再度前往巴黎。在这之前，他抽了个空，回橡树园探望父母。

"当爸爸了，看来成熟多了。"母亲把他从头到脚检视一番。

"有了孩子，才知道养家糊口不容易。"海明威肩头上的重担让他有感而发，"赫德莉还在调养身体，小班比太小了，我让他们留在多伦多。"

"好好照顾他们，你应该感到责任重大。"父亲爱德点点头。

"爸爸，妈妈，"海明威对着双亲说，"我们准备再到巴黎去，巴黎有许多文学界的朋友，那里的环境适合我写作。"

"什么时候出发呀？"妈妈格蕾斯询问。

"等赫德莉身体完全复元了，大约在半个月内就会成行。"海明威说，"看来又会有一段日子见不到你们了，请务必多多保重。"

父亲爱德再度点点头；母亲格蕾斯不禁流下泪来，只是，孩子大了，有自己的理想要追求，为人父母是不应过度干涉的。

母子俩紧紧拥抱，海明威这才不舍地挥手告别。

回到了多伦多，几天没见的赫德莉脸色已经红润许多，海明威很

开心，和赫德莉两个人着手打包行李，准备再一次的巴黎之行。康诺伯夫妇知道他们又要远行，特别邀请海明威一家三口到家里，设了晚宴为他们送行。

到了月底，海明威携家带眷，告别多伦多，坐火车前往纽约，转搭邮轮去巴黎。

到了巴黎之后，海明威把一切安置妥当了，就带着妻儿前去拜访斯坦因。

斯坦因和托克拉丝热情地迎接海明威夫妇。

“不错唷，我的话听入耳了，果然是生了孩子就快快回来，没让我们思念太久。”托克拉丝咧着嘴笑。

“回来得好。哈啰，小伙子，”斯坦因逗弄着小班比，“天哪，真是可爱的胖小子!”

“等小班比大了些，”海明威有个主意，“我想让他受洗，是不是有幸请你当小班比的教母呢?”

“当小班比的教母?”斯坦因以为自己听错了，“呀，真的吗? 那是我的荣幸，我的荣幸!”

“现在我们得先找个新的住所，原来的住处太潮湿，也太狭窄，容不了我们一家三口了。”海明威说。

最后，海明威在巴黎郊区找到圣母院广场街 113 号公寓，这是一幢二层楼房，临近花园，空气清新，环境相当不错。海明威最满意的是，有间额外的小卧室，里面摆设了桌椅，可让他不受干扰，安心写作。

班比五个月大时，海明威在圣路克教堂为他举行小小的受洗仪式，斯坦因正式当了小班比的教母。

这一年，一位当时享有盛誉的英国作家——福特·马多克斯·福特[1]移居巴黎，正着手创办一份杂志《泛大西洋评论》，杂志需要一名编辑来帮忙。

庞德对福特说："海明威文采不错，有着超水平的散文风格，由他来担任编辑，对这本杂志是再恰当不过了。"

福特相信庞德的眼光，决定让海明威来帮忙编辑杂志。

海明威觉得斯坦因的作品很值得连载，于是通知斯坦因。

"我决定在《泛大西洋评论》刊载你的作品《何为美国人》，你觉得如何？"

"真的？那真是大好机会，非常谢谢你。"斯坦因觉得不可置信，因为她虽然享有盛名，作品却很少有出版机会。

在这一期的《泛大西洋评论》，除了斯坦因的《何为美国人》之外，海明威还收录了乔伊斯的小说《芬尼根守灵记》，自己的一则短篇小

---

1 福特·马多克斯·福特（1873—1939），英国小说家、编辑和文学评论家。他最著名的作品是1915年出版的小说《好士兵》。英美文学界将福特列为20世纪文学界具有国际影响的人物。1998年，美国纽约公共图书馆编选20世纪百大英文小说的《世纪之书》，福特的《好士兵》就名列其中。

说《印第安人营地》，还有有关《故事三则诗十首》和《在我们的时代》的书评文章。

到了8月，福特从纽约回来，看到《泛大西洋评论》塞满海明威美国朋友的作品，心中很是不满，和海明威闹得不欢而散。

尽管结局不甚愉快，海明威在这个职务上还是小有贡献：他成功刊载了斯坦因的作品，让美国读者有机会拜读这位早年自我放逐巴黎的作家之作。

这时也有好消息传来：威尔逊的评论发表了。他在文章中赞赏海明威的散文很有特色，认为《在我们的时代》一书包含了更多的艺术尊严。

海明威很受感动，写了一封信给威尔逊，谢谢他这么一位优秀的文评家能够冷静客观地评论作品，他说，这是自己莫大的荣耀。

爱上西班牙斗牛

说起海明威为儿子取名"尼卡诺"的渊源，就得回溯到1923年。那年，海明威夫妇应诗人庞德的邀请，第一次造访西班牙，在海边小镇度假、写稿。之后，他和赫德莉转往首都马德里，在斗牛场里第一次看到了斗牛场面，马上爱上了这狂热的活动。

第二次造访西班牙，则是听从斯坦因的建议。当时海明威文思枯竭，想找寻写作的题材，打定主意再去一趟西班牙，只是要去哪个地点呢?

“西班牙说小嘛,其实也很大。你看我到底造访哪个地方会比较有收获呢?”海明威征询斯坦因的意见。

这时快到7月了,斯坦因想到了一个好地点,“对了,我建议你不妨跑一趟潘普洛纳,这是北部高原上的一座小镇。每年的7月,当地会举行为期一个礼拜的‘奔牛节’,全西班牙各地的斗牛士都会齐聚到潘普洛纳,热闹得很,是个有气氛又具传统的节庆。”

海明威和赫德莉听了心痒难耐,想到上回在马德里见识到的斗牛画面,这回,一定要去潘普洛纳开开眼界。

奔牛节在7月7日开始,海明威和赫德莉在7月6日及时赶到潘普洛纳。潘普洛纳其实是一座古城,城中有一座碉堡,据说是罗马将军庞培所建。登上古城墙,一条河流蜿蜒绕过城区,潘普洛纳的景致尽入眼帘。

7月7日一早,街头上人声鼎沸,海明威摇醒赫德莉,两人匆匆梳洗一番就出门去了。只见街巷的那一头狂奔着一群牛,牛群前面是一批不怕死的年轻人,仗着身手利落,不时停下来逗弄懒得跑的牛只,待牛只被激得狂性大起,往前急冲时,又忙不迭地转身向前狂奔,免得被尖锐的牛角刺中。街道两旁挤满看热闹的人群,大伙儿时而鼓噪喧嚣,时而击掌吹哨,实在是神奇又热闹。

牛群沿途狂奔,最后来到斗牛场内,接着就是准备下午的斗牛竞技了。

海明威认为斗牛竞技是勇气的展现。斗牛士穿着华丽的亮片丝质彩装现身,手上拿着红色披风,静静等待着。不一会儿,牛栏的栏栅升起,猛牛冲入场中,斗牛士先拿起红色披风,以优美的姿势逗弄牛只,好激起牛只的兽性。等到猛牛不停地冲撞斗牛士时,斗牛士才拿起长剑,伺机给予致命一击。

斗牛士对于斗牛的感情十分复杂,因为这是以命对命、以命取胜的古老仪式。海明威对于斗牛的狂热大概也在于此吧!他说,斗牛的乐趣就是感受在死亡的威胁下反抗死亡。他赞美斗牛,说这是唯一一种有危险的艺术。

尽管拳击赛也难免伤亡,不过在海明威的眼中,拳击大概还称不上艺术吧!

不过,猛牛也并不是永远屈居下风,在一连几天的斗牛竞技里,有五个知名的斗牛士被牛角刺伤,或被蛮牛的冲力撞伤。

海明威和赫德莉同时迷上了斗牛士尼卡诺·维拉塔。尼卡诺身手矫健,姿态优雅,斗牛这种血淋淋的活动,在他的精湛技艺之下,倒像一项传统的艺术仪典,让人击节称赞。

这时候的赫德莉,正处于怀着班比的待产期。她对着海明威说:“假如生的是男孩,我们一定要把小孩取名尼卡诺。”

第二年,海明威还想再去一趟潘普洛纳,去年目睹的场面实在惊心动魄,他整个心思都在上面。他打算7月底出发,好赶上7月的奔牛节。

6月下旬,西班牙之行准备就绪。海明威和赫德莉把班比托给保姆,两人直奔潘普洛纳,同行的还有好朋友比尔,巴黎文学界的史蒂华特与哈洛德·罗勃,已婚的哈洛德非常心仪一名英国离婚妇女朵芙,也约了她一起到西班牙,只是没想到朵芙的男朋友帕特也跟着来了。

这年的奔牛节比起去年来,显得精彩不足,幸好下午的斗牛竞技非常精采,出现了一名斗牛新秀——奥多涅兹。奥多涅兹这年才十九岁,但是当他拿着红色披风站在斗牛场中时,却展现出优雅高贵的技术,将猛牛一剑刺死。海明威夫妇又多了一位斗牛偶像。

潘普洛纳的奔牛节结束后,几个朋友各奔东西。海明威夫妇也转往马德里,在那里待了八天,其中一天又去看了斗牛活动。那名斗牛新秀奥多涅兹也来到这里,他甚至献了一只牛角给赫德莉,代表礼敬这位女士,让赫德莉心花朵朵开。

天气渐渐沁凉,海明威夫妇转往瓦伦西亚,因为奥多涅兹的下一次斗牛表演就排在这座城市。海明威很欣赏这名斗牛新星,预备将他的角色写进他正进行中的一部长篇小说。这部小说是以斗牛为背景的。

在瓦伦西亚的这段时间,海明威每天早上写作,下午陪妻子去沙滩游泳,再搭车去看奥多涅兹斗牛。

写作进行得相当顺利。这本以潘普洛纳奔牛节为背景的长篇小说,大多是以这回到潘普洛纳参加奔牛节的巴黎文学界朋友为原型:

女主角阿瑟莱影射朵芙，其他人物的背景和海明威自己、哈洛德、帕特也非常雷同。书中当然也有斗牛场景，斗牛士的现实本尊就是奥多涅兹。

海明威工作得非常起劲，常常写到凌晨两三点。等他动身回巴黎时，这本书的草稿已经写了二百多页了。到了9月底，这部长篇小说的草稿完成了。

海明威对这本书非常看重，几度修改，其间还拿给费兹杰罗[1]看，请教他的意见。一直到第二年（1926年）10月，这本书才在纽约出版，书名为《太阳照常升起》。

这本书让文评家惊艳，大众读者趋之若鹜，短短两个月内就狂销了6000册。

人在美国家乡的爱德爸爸也去买了一本来读，妈妈格蕾斯照常剪下书刊杂志的评论，寄给海明威。

海明威在美国本土总算赢得了文学作家的头衔，不再只是偏居欧洲、只能写些小品的半吊子作家了。

1　费兹杰罗（1896—1940），美国近代著名的小说家。他最著名的作品，是1925年出版的小说《大亨小传》，描述1920年代的美国社会。在1930年代，费兹杰罗因为妻子精神状态不佳，以及本身酗酒的问题，创作并不顺利。1940年，他因心脏病而过世。

第四章 回归祖国的海岛岁月

第三者宝琳·菲佛

巴黎的天气又湿又冷,海明威一家三口都感冒了。朋友建议他们到奥地利的小镇度假,那里的天气比较暖和,消费不高,一周的食宿费用不到30美元就能打发了。

海明威听从建议,在圣诞节前坐火车先到瑞士,再转车到奥地利的小镇施伦斯。海明威已先行向旅馆订了房间,他们把行李放好,梳洗一番,就到街上闲逛。这个小镇有一条溪河流过,河上架着木桥连接两岸。街上有各种商店,店家待客亲切,还有一座很少人参观的博物馆。对海明威来说,最棒的是这里有酒馆,供应当地自酿的36种啤酒,可以痛快畅饮。当地居民讲一种难懂的方言,不过对外来客十分和善有礼。

虽然是冬天了,这里还是暖和得很,对海明威一家三口来说,真

是治疗感冒的最佳所在了。夫妇俩每天逗着班比玩；有时候，班比一个人在门口嬉戏，赫德莉就拿出毛线编织毛衣和滑雪帽，或弹钢琴；海明威则拿出纸笔写写信，偶尔灵感来了也写写小说。

海明威一家玩得很愉快，对这个优美的小镇留下美好的印象。

返回巴黎不久，哈洛德来电请他们夫妇到家里聚会小酌。在聚会中，哈洛德的夫人凯蒂介绍了一对姐妹花。姊姊是宝琳·菲佛，妹妹是珍妮·菲佛。宝琳刚从密苏里大学毕业，现在是《时尚杂志》驻巴黎的时装编辑，年轻美丽，一如杂志里的模特儿。

海明威对这对姊妹花没留下什么印象，宝琳对海明威倒是颇有几句负面评语，说他不事梳理打扮、仪表粗俗，又说赫德莉怎能委屈自己，跟这么邋遢的男人过日子呢？

尽管如此，这对夫妻和这对姐妹花还是会在社交场合偶尔碰面。

这时，美国友人安德森的小说《黑色的笑声》出版不久，对于这本书的内容，海明威和多斯·帕索斯[1]都有颇不以为然的想法，海明威甚至写了一篇文章来加以讽刺，标题叫作《春潮》。

多斯·帕索斯劝海明威暂时不要发表，因为安德森刚写了一篇短

1 约翰·多斯·帕索斯（1896—1970），生长在芝加哥一个富裕的律师家庭。1916年毕业于哈佛大学，之后到西班牙学习建筑，不久投入第一次世界大战，先后在法国战地医疗队和美军医疗队服役。他和海明威曾在意大利的战场见过面，但彼此并没有留下印象，直到1922年才在巴黎正式认识，当时多斯·帕索斯正着手写《美国》三部曲，这本书是他作家生涯的代表作。

评推荐他的《在我们的时代》；赫德莉也赞成不要发表，在她心中，当初就是安德森鼓励他们来巴黎，否则海明威不会有今天的成果；斯坦因也表示能不发表最好；只有宝琳·菲佛支持海明威，她甚至建议海明威赶快把稿子寄到纽约的出版社。

有了这一层关系，宝琳成了唯一和海明威站在同一阵线的人，渐渐建立起了情谊。

1925年的圣诞节，海明威一家再度前往施伦斯度假，宝琳也跟着去玩。三个大人的友谊日深，只是其中有些情愫微妙变质，他们或者还没能察觉，或者察觉了却不想去面对。

在施伦斯的第十天，海明威接到邦尼和立夫莱特出版社的来电，表示拒绝出版《春潮》。海明威不想让《春潮》胎死腹中，决定自己跑一趟纽约，把问题解决。宝琳想跟着去，海明威不答应，于是她落寞地回到巴黎。

海明威在纽约待了19天，把《春潮》移转到史奎尔伯纳出版公司。他造访许多朋友，听到一些文学界的消息。好朋友多斯·帕索斯的《曼哈顿转运站》已经印到第四版了；安德森的《小城故事》印到第十版；费兹杰罗的《大亨小传》还改拍成电影，他也去看了这部电影，觉得这算是作家赚钱的另一途径。

海明威返回巴黎，正好费兹杰罗夫妇要去一趟尼斯，海明威于是为这对夫妇饯行。

“在纽约看了你那部小说改编的电影。”海明威在席间说。

“你是说《大亨小传》?”正享受美食的费兹杰罗抬起头来,“那你有什么看法?”

“老实说,有画面是生动多了,”海明威点点头,“效果不错,很接近原著的精神。”

“听你这么一说,我安心多了。”

“这趟去尼斯会待多久?”

“还不一定哪,”费兹杰罗敲敲脑袋,“要不要一起来?”

“不了,不了,”海明威赶紧摇头,“太太和儿子还在施伦斯等我呢!”

告别了费兹杰罗夫妇,海明威走在寂静无人的巷道。眼前浮现了赫德莉和宝琳的面容,一下子这个远,一下子那个近。他自己明白前面有一道难解的课题在等着他。

第二天,海明威搭着火车前往施伦斯。在月台上,赫德莉微笑着,美丽的脸庞被冬阳晒成古铜色;班比倚着妈妈,一头棕发在阳光照射下显得金黄,胖胖的脸颊在冷风下冻得通红。

脸带微笑的海明威心中涌上一股悲怆,难道自己要任由这美丽的画面破碎吗?

“爸爸,你回来了!”小班比一下扑上来。

“我的小班比乖不乖呀?”海明威一把抱起儿子,亲着他红通通的脸颊。

“我很乖哟。”小班比在爸比脸上啄了一下。

“走吧，回旅馆去，站在这里要冻僵了。”赫德莉挽着海明威臂膀，二大一小的身影渐渐消失在月台的那一端。

冬天逐渐远去，大地回春，时序进入1926年。

春天的巴黎让人痴醉。

这天，宝琳和珍妮姐妹开车来邀赫德莉去郊区野餐，赫德莉很开心地跟着去了。她们往凡尔赛宫的方向走，一路上嘻嘻哈哈，古色古香的城堡和设计华丽的花园，让她们赞不绝口。

赫德莉丝毫不知她和宝琳的关系即将生变。

宝琳自己也很矛盾，她剖析自己的心态，怎会从厌恶一个邋遢的人到爱上一个文学才子，这其中的转变她无法控制，只是对赫德莉感到愧疚难安。她不知道怎么应对，于是决定少开口。

“宝琳刚刚还嘻嘻笑笑的，怎么一转眼就不讲话了?”赫德莉悄悄问珍妮。

“她……”珍妮知道姐姐的心事，却不知怎么回答。

“总不会海明威欺负她吧?”赫德莉俏皮地接了一句。

“唉，他们两人相爱啦!”珍妮不忍有人还被蒙在鼓里。

对于赫德莉，这倒是晴天霹雳的一句话。她犹如游魂似的，在回程里一句话也不说。

5月的巴黎，空气闷湿，让人不舒服。赫德莉咳嗽，小班比哮喘，海明威失眠。空气似乎凝固了。

终究有人打破了沉默。

“我们……不要……逃避了。”赫德莉咳个不停。

“什么事?”海明威的眼窝因为没睡好而一片黑沉。

“你是不是爱上了宝琳·菲佛?”赫德莉单刀直入。

“赫德莉……”海明威脸红了，“我们别提这件事好吗?”

不等赫德莉说第二句话，海明威匆匆跑下楼，也不管外面下着雨，在街上当起游魂来。

赫德莉望着刚合上的门，一股痛楚涌上心头，她压抑地抽噎着，夹杂的咳嗽声让一切显得现实，无可逃避。

家庭的冲突反倒让海明威专心于写作。他决定到马德里，换个环境换个心情。赫德莉决定等自己和小班比身体好一些再前往会合。

宝琳和珍妮原本和叔叔到意大利旅行，之后也来到西班牙。她们住的旅馆正好和海明威夫妇同一个。三角习题的三位主角又无可避免地见了面。

早晨，他们三人一起去水边游泳，在沙滩上晒太阳；下午，三人在花园里骑车；晚上，三人同时出席朋友的鸡尾酒会。

赫德莉装得若无其事，心中的苦楚无人可说。

到了7月，海明威带着朋友去潘普洛纳参加奔牛节，宝琳也去，不过提早回巴黎,想躲开海明威一阵子;赫德莉没跟去,心中充满孤寂。回到巴黎,赫德莉不想再躲避现实了。

“这样下去不是办法,”赫德莉勇敢地面对海明威,“我们暂时分居吧!”

“啊……”这突如其来的决定让海明威措手不及。

“我不想再死抓着你不放,”赫德莉一字一句地说,“如果你和宝琳相爱,你的心不在我身上,我何苦浪费大家的青春?”

“是我不对。”海明威可以预感,他即将失去这个他相处五年、心中还爱着的女人。

“我们签一纸协议书吧,”赫德莉提出建议,“你和宝琳分开100天,100天之后,如果你们两人还相爱,我愿意跟你离婚。”

双方都签了字。

海明威百感交集,他写信给费兹杰罗,告诉他自己和赫德莉分居的事情。他说赫德莉没错,是自己走错了路。他的朋友也这么说他。

宝琳收拾了行囊,回到纽约。100天并不长,熬过了就可以和海明威共结连理。她写信给海明威,说自己对赫德莉很愧疚。

1927年1月27日,海明威和赫德莉正式签字离婚。

海明威心中充满罪恶和悔恨,他把《太阳照常升起》一书的版税全部归赫德莉所有。这是他唯一能做的。

这年,小班比五岁。

基威斯特的生活

1927年5月10日,海明威和宝琳在巴黎的天主教堂结婚。天主教徒一生只能结一次婚,于是海明威也跟着皈依天主教,并宣誓这一次是他唯一一次的真结婚。当然,有些朋友对他的宣誓背地里也不以为然。

五岁的班比没有跟爸爸住在一起,他只有寒暑假才能跟爸爸见面,其余的时间他都住在寄宿学校。

海明威开始过第二次婚姻生活,同时着手写第二部长篇小说。这部小说有点半自传意味,以他在意大利当救护车司机的故事为时代背景。

第一部长篇小说《太阳照常升起》持续热卖,这激起了海明威的思乡情绪,他想回美国看看。宝琳怀孕了,也有必要回美国待产。

"去基威斯特看看吧,那里实在太美丽了!"好友多斯·帕索斯提出建议。

"基威斯特?在哪里呢?"海明威对这地名并不熟悉。

"它在佛罗里达半岛的最南端,是个亚热带小岛。"多斯·帕索斯如数家珍,"真的是个小岛,宽一英里半,长四英里半,绕完全岛也用不着半天时间。"

"听来还让人挺好奇的,"宝琳也没去过基威斯特,"我们去看看吧,不喜欢就走人。"

1928 年 4 月，海明威和宝琳从法国罗萨港搭乘皇家邮轮，在海上航行了 18 天，先到达古巴的哈瓦那，再改乘渡轮往西走 100 海里，就到了基威斯特。

上了岸，岛上的热带景象让他们感到很新鲜，到处看得见椰子树和棕榈树，高大笔直，把天空衬托得更加靛蓝，碧绿的大海传来阵阵涛声，还有柔白沙滩上戏耍的热闹声音。

海明威和宝琳先租了一间公寓。海明威把宝琳安置妥当，放下行李，马上跑出门去探奇。

他漫步在街道上，听着过往行人说话，有些人说英语，也有人讲西班牙语。

海明威走到杜瓦尔街，这里算是最热闹的地方，有许多家古巴咖啡馆和酒吧，酒吧里可以喝到走私进口的朗姆酒。这对海明威来说太重要了，因为受到政府禁酒令[1]的影响，美国本土许多地方是喝不到酒的。

“进去喝一杯吧！”海明威这么想，“坐了这么久的船，是需要一杯解解馋。”

1　1919年，美国国会通过宪法第十八号修正案，规定凡制造、售卖及运输任何酒精含量超出0.5%的酒精饮品，即属违法，称为“禁酒令”。个人在家饮酒不犯法，但与人共饮、举行酒宴同属违法。这项法令于1920年10月17日正式生效。而这项法案，也催生了不少地下酒吧，引发走私酒和组织犯罪等问题。到了1933年，美国国会批准了宪法第二十一号修正案，撤销了第十八号修正案，禁酒令至此才宣告解除，酿酒工业也起而复苏。

进到酒吧里，但见贩夫、走卒、渔夫、水手，三教九流都有，有人在比腕力，有人摇晃着跳起伦巴舞。

海明威坐到吧台边，叫了一杯朗姆酒，饶富兴味地看着眼前的一切。休息够了，海明威走回街上，朝着码头而去。码头上可见来来往往的商船、渡轮和游艇，还有许多大大小小的渔船。再往南面的海滨走，沿途可见木板房稀稀疏疏散落木丛中，一派安静幽雅。岸边满是黄褐色的海草，还有古代葡萄牙士兵的雕像，已经被海水侵蚀得斑斑驳驳了。不远处有一座从未使用过的海军码头。

海明威喜欢这里，他决定就在这里住下。

海明威每天一大清早起来，趁着四周安静、脑筋清醒，埋头写作。到了下午，他休息过后，就出门去逛逛。他跟当地人聊天，问问他们钓鱼的事，问问他们家里可好；他跟他们一样讲粗话，跟他们一样举止粗俗。时日一久，大家也习惯有这么一个人站在旁边一起闲聊，只是没人把他当作家，海明威额头上的那一道疤，让大家以为他是来自北方的走私犯，或者是奸诈的商贩。虽然，那一道疤是在巴黎时，浴室顶灯掉下来砸破他的头，缝了九针的结果。

海明威喜欢这样。他广交三教九流的朋友。

他认识了职业钓鱼师——桑德斯。桑德斯对小岛各水域的水性和鱼类习性，可说是倒背如流。

他认识了酒吧老板——罗索尔。他的酒吧开在格林街，在一幢白色楼房的一楼。酒吧里有位黑人侍者，海明威看到他时，说他长得

如此帅气，在非洲一定是当酋长的料。罗索尔有一艘汽艇，不时往返美国和古巴之间。

他认识了苏里旺。一个爱尔兰佬，在街上开了一家机械工厂。

他认识了汤普森。汤普森是岛上的有钱人，经营鱼店、船坞、冰厂、五金行、钓具行等。最重要的是，他酷爱打猎和钓鱼，这正合了海明威的胃口，两人成了好朋友。

宝琳和汤普森太太也变成好朋友，两人非常有话聊。

汤普森每天忙完工作，就约海明威去钓鱼，钓到的鱼由他的鱼店收购，卖的钱又足够他们买鱼饵和开车的汽油。

有一天，海明威收到巴黎转来的一封信，是父亲爱德寄来的。他马上打电话回橡树园，告知父亲自己和宝琳已经回到美国了，目前住在基威斯特，他邀请父母到基威斯特来看看他们。

这一天到了。

海明威来到码头，一边等候父母所乘的船只入港，一边钓着鱼。

突然，他听到一声熟悉的口哨，抬起头来一看，是父亲。靠岸后海明威咧嘴一笑，赶忙跑过去迎接父母，带他们回家见宝琳。

父母还没见过宝琳。

"你一定是宝琳了！"一进门，格蕾斯看见一位大腹便便的女子，不用问就知道是谁了。

"是，"宝琳微笑着，"不好意思，没去接两位。"

"都快生了，不必大热天的跑到码头去接我们。"格蕾斯很体谅。

“一切都好吧?”爱德问。

“都好,都好,”宝琳赶紧回答,“很快就习惯这里了。”

到底分别了多少年了呢?海明威看着父母,心里思忖着。不记得了,可是父母看起来老了。父亲的头发和胡子已经斑白,身形显然清瘦不少。

父亲向海明威说,近年来身体不是很好,糖尿病一直困扰着他。投资的房地产也没起色,麻烦不少。

母亲倒是维持一派的雍容华贵,戴着一顶浅色仕女帽,身穿深色曳地连身裙装,不过身体发福了不少。

送走了父母,海明威继续写他的长篇小说,已经写了100页,进度算很顺利。他写信邀请朋友来玩,其中包括多斯·帕索斯。多斯·帕索斯本来就很喜欢基威斯特,立刻就动身。几个朋友到齐了,海明威租了一艘游艇,请钓鱼师桑德斯当大副,带他们到附近的小岛钓鱼。他们钓到了不少旗鱼和鲢鱼,人人开心得咧嘴而笑。

很快就到了5月下旬,宝琳的预产期快到了。

海明威陪着妻子回娘家待产,宝琳娘家在阿肯萨斯州的皮葛特。海明威一见到老丈人和丈母娘,就十分喜欢他们。

他们住了下来,可是日子非常沉闷无聊。每天要花不少时间在家事上,这让海明威感到烦躁不已,写作顿时松懈下来。他写信给史奎伯纳出版社的编辑帕金斯,说皮葛特是“他妈的鸟都不愿飞落的地方”!

战地春梦

海明威决定离开鸟不生蛋的皮葛特，在5月溽暑的煎熬下，驱车送宝琳到堪萨斯市待产，当地气候比较凉爽，医疗设施也比较好。他们住在印第安路的一座大房子里，后院有一座游泳池。

海明威终于可以将心思放回长篇小说的创作上。他早就有意把1918年他在意大利战场的经历写成小说，并穿插刻骨铭心的爱情故事。他上午写作，下午去俱乐部和堪萨斯人打马球，傍晚回家在后院泳池游泳，再和宝琳一起吃晚餐，生活非常规律。

1928年6月27日，宝琳开始阵痛，海明威赶快把妻子送到医院，经过长达18个小时的阵痛，婴儿还是生不下来，医生决定剖腹。最后总算平安产下一个男婴，可是宝琳身体虚弱，还得住院七到十天左右才能出院。

这时，海明威的作品已写了478页，他很想赶快写完，因为他对于再度当父亲感到有点不耐烦。

“宝琳，我送你和小宝宝回娘家好吗？”海明威和妻子商量，“这样我才能全心写作。”

宝琳明白写作对于丈夫的重要性。“没问题，等我和帕特里克出院了，我们就回娘家去。”帕特里克是他们为小孩取的名字。

“谢谢！”海明威握着妻子的手，感谢她的谅解。

一周之后，海明威一家三口坐上开往皮葛特的火车。这趟旅途长达21个小时，加上摄氏33度的高温，让小帕特里克一路上哭个不停。海明威说，儿子长得像头公牛，声音也洪亮得像公牛。

把宝琳妥当安置在娘家之后，海明威马上赶搭火车返回堪萨斯市。当务之急，他必须找个可以避开酷热的地方，好让脑筋清醒。第二天，他开着自己的福特车，直上怀俄明州，三天跑了1000英里，来到高海拔的牛角山东坡，在一家旅馆登记入住。

海明威仍然保持上午写作，下午钓鱼的习惯。几天下来，他发现这里已经住了十来个客人，常常扰攘不已，于是他换了一家旅馆，住了四天，每天只能写9页。海明威再度开着福特车，最后找到一家寂静旅馆，安心住了下来，现在每天可以写出17页的稿子，他感到很满意，只是晚上太寂寥了，只能一个人喝闷酒。

宝琳身体终于康复了，她来到旅馆探望丈夫。

“工作进行得顺利吗？”宝琳的脸色恢复往日的红润。

“大概再有两天就能完成初稿了。”海明威说，“等我写完再回去吧？”

“那当然。”宝琳点头同意，“有没有想念我和宝宝啊？”

“想死我了！”海明威深情的吻了妻子，“宝宝好吗？”

“帕特里克的体重增加了，现在有12磅重，长得很像土拨鼠喔！”

“真的？那很可爱啊！”

不过他没告诉妻子，在他写的长篇小说中，女主角凯瑟琳最后是难产而死。

海明威带宝琳去拜访一家法国人。男主人叫摩西尼，妻子雅丽丝，还有两个儿子阿古斯和卢西恩。这家法国人会酿好喝的酒。主人一家邀他们坐在搭着葡萄架的凉廊里，大家一起喝着自家酿的冰凉啤酒，品尝雅丽丝亲手料理的法国小菜，互相用法语聊着。凉廊外的金黄色田畴，和远处的青褐色山脉，陪他们度过这美好的一天。

8月底，这部长篇小说终于写完了。

“还得再从头仔细看过！”海明威心里知道，不过他实在筋疲力竭，就暂时将稿子搁一边。

海明威决定开车到西边看看，纾解几个月来写稿的疲累，于是和宝琳开车一同西行。他们越过黄石公园南边的林肯郡，接近爱达荷州的边界，然后来到一个叫塞尔的地方，探望一位也从事写作的朋友。这个地方有一条大河，海明威在这儿钓鱼，收获很不错。他们也在印第安人居留地打猎，捕捉到九只松鸡。

海明威绕了一圈，开车跑了一千多公里路，于9月23日星期天回到堪萨斯市，正好赶上了去教堂做礼拜。

最后回到宝琳娘家，海明威把手稿拿出来翻阅，一共写了600页；而他和宝琳这一个月的西部山区之旅，也正好钓上了600条鱼。真巧！海明威和宝琳不由得相视会意而笑。

在丈母娘家待了一个月，海明威常坐在门廊前给朋友写信。他说自己多么想念怀俄明，想念基威斯特，想念巴黎。在这个季节里，秋叶纷飞，巴黎一定十分宜人。再晚些个时候，可以在基威斯特坐船出海捕大鲢鱼，那是十分恰当的好季节。

海明威决定了。他把小帕特里克交给丈母娘和小姨子照顾，自己和宝琳先回基威斯特，等他把家务、写作等事情一一料理妥当，到11月再来接帕特里克回家。

回到基威斯特不久，汤普森太太帮海明威夫妇找到一座很大的白色旧房子，在住宅区南方街1100号，靠近大西洋岸边的沙滩海水浴场，景色十分美丽。海明威夫妇非常喜欢。

住进去不久，海明威的二妹桑妮也来了，她是来帮哥哥把手写稿整理成打字稿的。接着，海明威得到纽约去一趟，大儿子班比从巴黎坐船回来，他得去接这个五岁小男孩。

班比的船准时到达，他拉着服务员的手，从甲板上走下来。海明威紧紧地把他搂在怀里好久。下午，父子俩来到火车站，坐上开往哈瓦那[1]方向的特别快车。火车到达特林顿车站时，海明威接到三妹卡洛尔从橡树园拍来的电报，说他们的父亲已于当天清晨去世。

海明威没料到父亲走得这么突然，心中难过极了。

他强忍悲伤，向孩子解释祖父发生了什么事，接下来他可能得自己回到基威斯特了。班比点点头，他都能独自从巴黎到纽约了，这一小段路程不算什么。海明威又拜托列车员一路照顾班比，并送孩子到开往基威斯特的渡轮。然后，海明威回头搭反方向的火车，连夜赶

1　哈瓦那在古巴，从纽约坐火车到不了。

往芝加哥，回到橡树园料理父亲的后事。

父亲原来是举枪自杀的。在那天清晨，他拿出海明威祖父留下的一把老旧左轮手枪，对准右耳，开枪结束了自己的生命。房地产投资失败，可能是父亲寻求自我了结的一个因素，不过最大的原因，恐怕还是糖尿病和心绞痛等慢性疾病的折磨吧。

父亲瞬间倒下，海明威必须扛下父亲留下的债务，幸好他手边有一部长篇小说正待价而沽。他对母亲说："别担心，有我呢！"

这部长篇小说他早已想好书名，叫《战地春梦》。书名来自《牛津英国诗选》，是诗人乔治·皮尔的一首诗名。

怀着丧父之痛，海明威风尘仆仆赶回基威斯特，埋头修改稿子。他每天工作六小时，用铅笔修改文字，再交给妹妹桑妮打字。这样连续工作了五个星期，在 1929 年 1 月 21 日完稿。

海明威请史奎尔伯纳出版社的帕金斯来基威斯特看稿，帕金斯原先不愿意大老远跑一趟，后来还是勉为其难地来了。

"走吧，稿子拿着！"海明威把打字稿塞到帕金斯手里。

"去哪儿？"帕金斯一头雾水。

"去钓鱼，我已经一个多月没钓鱼了，非去不可！"说完往外走。

"嘿，我可是来看稿的！"帕金斯追了出去。

他们每天早上六点坐船出海，海明威全心钓鱼，帕金斯则专心看稿。

"这本书写得很出色。"帕金斯看完后说，他很庆幸自己大老远跑了这一趟。

帕金斯把稿子带回纽约不久，来电告诉海明威说，公司愿意支付这本书稿16000美元，这是他们的最高稿费标准了。

大地回春。

1929年4月，海明威计划一趟欧洲之行。他带着宝琳、儿子班比和帕特里克、妹妹桑妮，坐渡轮到哈瓦那，再从哈瓦那坐约克号到法国。到了巴黎寓所，宝琳喉咙发炎，帕特里克也受感染，哭闹不停，海明威只好利用夜深人静的时候校对《战地春梦》的文稿。

6月底，海明威带宝琳到潘普洛纳参加一年一度的奔牛节。也是在这里，他决定把《战地春梦》献给宝琳的叔叔格斯，因为当年是他说服了宝琳的父母，让他们答应把宝琳嫁给海明威。

9月，《战地春梦》正式出版，帕金斯拍来一封电报："评论界反应良好，看来前途光明。"

到了10月中旬，小说已售出28000千册。

这本以第一次世界大战意大利战场为背景的小说，描写美国救护车司机亨利和英国护士凯瑟琳的浪漫故事，撼动了许多人心。

海明威的名字开始家喻户晓；评论家也断言，文坛已升起一颗闪亮新星。

斗牛士的午后之死

离开基威斯特好几个月了,海明威开始想家,想念那小岛上的三教九流朋友,想念坐船海钓的豪迈况味。

他订了1月10日的船票。这时元旦刚过,时序已进入1930年。

他们坐的邮轮从法国港口开出,横越大西洋,航抵纽约,预计停泊两天,再驶往哈瓦那。海明威趁机在纽约上岸,去探望出版社的编辑帕金斯,邀请他春天到基威斯特钓鱼。帕金斯欣然同意。

海明威回到基威斯特,好友汤普森已经另外帮他找了一座大房子,就在珍珠街上。夫妻俩布置新家,等到一切安置妥当,已经是2月初了。

海明威手边正在进行的另一本新书,是有关西班牙斗牛的书。他认为西班牙斗牛是一项非常狂热的生死艺术。他准备将这本书献给美国人民。

6月了,基威斯特的天气维持一贯的潮湿高热,海明威动了念头,想到怀俄明山区避暑,一边打猎捕鱼,一边继续斗牛一书的写作。

宝琳先带着帕特里克和法国保姆回娘家。海明威前往纽约接儿子班比,每年的寒暑假,是他们父子见面的时候。

法国邮轮准时抵达码头,海明威找到了班比,带着他赶往皮葛特和宝琳会合。帕特里克还太小,不适合同他们长途奔波到怀俄明山区。

“孩子先和我们住一阵子，”丈母娘对海明威说，“有保姆在，不会有问题的。”

“太谢谢您了，等我们从山区下来，马上过来接小孩。”海明威实在很感谢丈母娘如此大方。

海明威开着自家的车，在热气滚滚的高温下，向西部山区进发。

他们经过内布拉斯加时，气温仍然高得让人受不了。海明威向当地人打听哪里有牧场旅馆。不久，他们辗转打听到一个叫怀斯特的人，他在一处宽阔的山谷有一大片地和许多房屋。

“我有个地方很适合你们一家人住。”怀斯特对海明威说。怀斯特个子高大，四十多岁模样。他指的是一处山坡上，立着两间新修的平房，站在门口可以看到西边山坡上的一片松林，还有远处的峰峦。

“环境很好，”海明威看着宝琳，点点头，“我们决定租下来。”

7月13日，海明威一家住进他们新租的房子。

海明威发现附近有一条小河，是黄石河的支流，河水湍急，看得见很多鳟鱼悠游其中。当他们开的车子通过河上的木桥时，桥面发出轰隆隆的声响，让人吓了一大跳。

高山的空气清新无比，能摆脱山下的热气，让海明威胃口大开。他总是一大早来到旅馆餐厅等候吃早餐，早餐常常是火腿、鸡蛋加西红柿酱，然后边吃边喝咖啡，外加半瓶红葡萄酒。

每天上午照例是海明威写作的时间，他坐在门廊上，不时翻阅摆

在面前的斗牛杂志；下午，他就去钓鱼、打猎或骑马。晚饭后，他会在餐厅和其他住客聊聊天，或者走到牧场工人的工寮，找工人们闲话家常。

宝琳总是穿着斜纹布工作裤，每天只有两项工作：照顾班比、禁止别人打扰海明威写作。

有一天，一匹马死在林地里。海明威决定把死马当诱饵，猎取野生动物。他带着班比去察看那匹死马，静静地蹲在附近等候猎物出现。突然一只雌鹿从另一头跑了出来。班比第一次在近距离观看野生动物。

“这是骆驼吗，爸爸？”班比仰起头来问。

“不是，不是，”海明威搔着班比的头发，轻声地说，“那是一只雌鹿，雌鹿的头上没有角。”

那头鹿嗅了一下死马，就优雅地离去了。

海明威父子静静地继续等候，等了不知多久，正想放弃打道回府时，一只大黑熊出现了。

海明威举起猎枪，“砰”的一声，大熊应声倒地。

班比的第一次打猎实习，总算没有空手而归。

班比的假期接近尾声，宝琳带着班比去纽约，乘坐回巴黎的邮轮；之后，宝琳直接回皮葛特娘家等海明威下山。海明威继续在山区打猎。

10月的时候，多斯·帕索斯来到山区旅馆找海明威。第二天，他们就开着福特车去打猎,同行还有一名牧场工人弗罗德。

他们的车子来到一条砾石路,两侧是很深的路沟。一辆汽车迎面开来,强烈的车前灯照得海明威眼睛睁不开,只听得一声“轰”,他的福特牌车子整个翻进深沟里。海明威倒栽葱地挂在车后轮上,弗罗德和帕索斯赶忙把他拉下来,等他站直时,才看到他的右臂麻木地垂挂着。那辆开过去的车子这时掉头回来,把海明威送到一所医院去。

这次的意外车祸让海明威躺了一个多月,他的手臂骨折,动了一次手术。最糟糕的是,他的手不能写作!原本预计在圣诞节前写完的斗牛一书,只能无奈搁置了!

圣诞节前夕,海明威出院了,宝琳高高兴兴地接丈夫回到娘家。

海明威住院这段期间,他不刮胡子、不理发,这副模样到了皮葛特也还没改变。有一天,他在街上散步,一群孩子看见他,竟然对他丢雪球,大声叫着:“流浪汉!流浪汉!”

海明威一向居于发号施令的地位,什么时候遭人如此唾弃过?他浑身发抖,对皮葛特这鸟不生蛋的地方更深恶痛绝了。

幸好,纽约传来了好消息。好莱坞有意购买《战地春梦》的电影改编版权,海明威可以拿到24000美元。只是,电影结尾改成女主角凯瑟琳顺利生产,这让海明威有点儿不高兴。

1931年春天,海明威全家回到基威斯特。小帕特里克已经两岁

多了。时间过得真是飞快!

海明威打算这年再跑一趟西班牙,尽快把斗牛的书完结。

4月底,宝琳发现自己又怀孕了,预产期在11月。

宝琳的格斯叔叔来基威斯特看侄女。海明威夫妇陪他去看了一幢石砌的旧楼房,位于灯塔对面。屋顶有些漏水,窗户也破了,但是修缮过后应该还是相当体面。格斯叔叔慷慨地买了下来,送给侄女宝琳。这是海明威夫妇第一次在美国有了永久的住处:白头街9007号。

5月4日,海明威单独出发前往西班牙。宝琳提早好几天,带着保姆和帕特里克先到巴黎去了。

这趟是海明威第七次参加奔牛节了。他实地观赏斗牛,收集相关数据和图片,写了满满一大本的斗牛术语。至于斗牛那本书,已经写了18章,只剩两章就大功告成了。

九月中旬,海明威返回巴黎。

“资料收集得顺利吗?”宝琳迎接丈夫归来。

“成果丰硕。”海明威笑逐颜开。

“那就好,”宝琳吐了一口气,“我们该回国了,不然小宝宝要在巴黎落地了。”

“当然,当然。”海明威感到愧疚。

他们搭乘法国邮轮回美国。到了纽约,海明威把收集的斗牛照片送去给出版社的帕金斯。然后陪着太太坐火车到堪萨斯市;年初,他已经和堪萨斯市的葛菲医生联系过了。

11月12日上午，宝琳剖腹生下一个男婴，是海明威的第三个儿子，他心中有些许失望，原本期待是个女孩。男婴命名为格里哥利·汉柯克，格里哥利是纪念天主教教宗，汉柯克是纪念海明威的外叔公。

在宝琳住院期间，海明威利用空档写作，终于完成最后的一章。海明威为这本书定名《午后之死》。

海明威夫妇带着新生宝宝回到基威斯特，新家挤满了装潢和安装管线的工人，到处乱哄哄。海明威耐着性子，修改《午后之死》初稿。大约两个月的时间，修订稿总算整个顺过，海明威赶紧寄给纽约的帕金斯。

海明威总算真正松了一口气，他马上约了酒吧老板罗索尔，坐着他的游艇到古巴海域去钓鱼。

1932年9月，《午后之死》正式与读者见面，这本海明威详尽介绍西班牙斗牛、叙述他九年来参加斗牛活动的回忆与感想的书，似乎引不起读者兴趣，销售成绩平平。这使得海明威闷闷不乐。

第五章 非洲惊艳

东非狩猎之旅

海明威决定摆脱《午后之死》销售不佳的阴霾，于是他开着福特车载着班比上皮葛特去找宝琳，宝琳早先已带着两个儿子回娘家了。

班比这年九岁，和两个同父异母弟弟玩得很愉快。

有一天，班比得了流感，躺在床上下不了床。海明威帮他量体温。

“嗯，” 海明威拿起体温计看，“102 度，还好。”

“啊……” 班比一脸惊吓。

“别怕，应该很快就没事了。来，爸爸念故事书给你听。” 海明威拿起故事书，念了一段班比最喜欢听的海盗故事，班比却一副心神不宁的样子。“我看你有点吓到了，你静静休息一会儿，爸爸不吵你。”

海明威说完走出房门，到山林间打鹌鹑去了。等他回来，再进房去看班比，班比不安的神情依然存在。

“怎么了，爸爸打猎回来了。发生了什么事?”海明威很是摸不着头绪。

班比终于忍受不了，他眼睛噙着眼泪，说:“同学告诉我，人的体温一旦超过44度，生命就会有危险。现在，我的体温已经超过一倍多，我恐怕很快就会死去。”

海明威听了忍住不笑，他向班比解释:“体温计有两种刻度，一种叫华氏度，另一种叫摄氏度，摄氏度超过44度有生命危险，我们刚刚量的是华氏度。”[1]

听爸爸这么说，班比这才破涕为笑。

在娘家度过了圣诞节和新年两个假期之后，宝琳先带着三个儿子回基威斯特。海明威则是先到纽约去拜访出版社的帕金斯，因为他心中又浮现了一个故事。海明威告诉帕金斯说，自己正要开始执笔写另一篇短篇小说，选定了哈瓦那和基威斯特之间的海域为背景，主角摩根是一个海上大盗，在这个海域专门干些狗屁倒灶的无本生意。海明威心中有了规划:就以爱钓鱼的酒吧老板罗索尔为主角的原型，因为他私底下专搞酒类走私。帕金斯觉得这个故事很吸引人，鼓励海明威赶快动笔。海明威回到基威斯特之后，马上埋头写作。这一则短篇小说很快就完成了，书名定为《横越海峡之旅》，出版社愿意支付5500美元的稿费;海明威心花怒放，因为这是短篇小说稿费最高的一篇。

1　摄氏度和华氏度有换算公式：摄氏度=(华氏度−32)÷1.8

海明威是个热爱海洋的人，写作余暇，他常会出海钓鱼。

4、5月的时候，海明威向罗索尔租下一艘游艇，请卡洛斯当航海和捕鱼顾问，到古巴海域待了两个月，每天钓马林鱼，乐趣无穷。罗索尔这艘游艇装备齐全，船上有舱房可以睡觉。

有一天，海明威的鱼钩钩住一条重约两吨的马林鱼，大鱼不肯就范，在海水里死命地挣扎。难得钓到大鱼的海明威也不想就此认输，他决定跟那条大鱼较量一番。海明威跪在船尾，把重心压低，腰间缠绕着钓绳，用力拖着水下的那条大鱼，一点一点地收短鱼线。船继续往前航行，卡洛斯不断地往海明威身上浇淋海水，帮他将腰间的绳索缠紧，以防大鱼把他拖到海里去。那条被钩住的大马林鱼离水面大约20英尺，海明威慢慢拉动钓绳，每拉一下钓绳就拖上来一英尺。眼看大鱼就要到手了，不料钓竿啪啦一声断了，那鱼一下子跑得无影无踪。长达八海里、一个半小时的僵持，就这样化为泡影。海明威一身湿漉漉的，坐在船尾足足咒骂了半个小时。随后，他又神气起来，因为他跟大鱼僵持的时间大概比任何人都要长，要是别人早就砍断钓绳，放鱼自由了。

这一次的古巴海域之行，海明威又有另一番体悟，他趁着记忆清晰，赶紧写了一篇短札，叫做《古巴来信》，寄给一家杂志社刊登，赚了一点稿费。

从古巴回来后，海明威收到帕金斯寄来的一封信，说出版社想帮海明威出版短篇小说集，会收录他的14篇作品，请海明威提个总书名。海明威题名为《胜利者一无所有》，这书名是从另一本书中得到的灵感。

现在，海明威最想做的事是到非洲狩猎。

早在埋头苦写《午后之死》期间，海明威已经萌生到非洲打猎的雄心壮志。要不是那年和帕索斯在怀俄明山区驾车翻覆，右臂骨折，也不会拖到现在。

8月，海明威和鱼店老板汤普森约定秋天在巴黎会合，准备由巴黎转往非洲去打猎。海明威和宝琳、妹妹桑妮、儿子班比先行出发，他们到古巴的哈瓦那等待船班。这时的哈瓦那风声鹤唳，反对古巴独裁者马塞多的革命正在进行，耳朵里不时听到传来巷战的枪声。

等了三天，船班终于启航了。邮轮横渡大西洋，先在西班牙靠岸，海明威独自一人下了船，因为他要去马德里看斗牛。宝琳和桑妮继续行程，带着班比回到巴黎的寄宿学校。

海明威在马德里观看斗牛，发现斗牛的风气不像以前那么盛行，斗牛士也不再像以前那么优秀，他看得有点意兴阑珊，干脆把多余的时间用来写作。

在西班牙待到了晚秋时节，海明威转抵法国巴黎。他发现这座城市还是那样美丽迷人。受邀同去非洲打猎的汤普森也抵达巴黎。

11月下旬，海明威夫妇、汤普森从巴黎出发，到法国南部的马赛搭乘邮轮出航。送行的朋友纷纷向甲板上的海明威夫妇和汤普森

挥手，东非狩猎之行真的成行了。

轮船从马赛港口驶入地中海，航向埃及的塞得港，再向东通过阿拉伯半岛和非洲大陆之间的苏伊士运河，抵达红海南端的亚丁港，进入印度洋。邮轮一路上短暂靠岸各主要港口，让乘客上岸去观光或享受异国美食。

到了12月8日，邮轮终于到达东非肯尼亚的蒙巴萨。海明威一行人下了船，湿热的空气迎面扑来，让人强烈感受非洲大地迥然不同的气候。接着，海明威一行人转乘火车前往肯尼亚首都内罗毕。这座内陆城市高山环绕，一路上可见到成排的桉树夹道欢迎着他们。

海明威一行人住进新斯坦利旅馆。

“你们好，一路上辛苦了。各位是来观光的吗?”柜台人员一边帮他们办理入宿登记，一边客气地和他们寒暄。

“喔，不，其实我们是来打猎的。”海明威摇摇手，“可以跟你们打听一下吗? 这里找得到老练的猎人可以当我们的向导吗? 我们准备在非洲待上两个月。”

“原来各位是来打猎的。有的，有一位打猎高手叫做波西瓦，我帮你们联络他。”柜台人员说。

“太好了，那就麻烦你帮我们联络。”

过了几天，海明威终于在旅馆餐厅里见到了这位波西瓦。波西瓦是个白人，身材魁梧，头发浅灰，脸色红润，彬彬有礼，讲起打猎故事来滔滔不绝。海明威很快就和波西瓦热络了起来。

波西瓦请海明威一行人到他的农场住，农场位于卡皮提高原上，先住个几天可以比较快地习惯高原的环境和气候。

海明威每天早晨五点钟起床，用过早餐后就整天在卡皮提高原上出游打猎。虽然从小在父亲的培育下海明威早已是个出色的猎人，但他一开始还是非常不适应内陆高原的环境，加上有一只眼睛视力不好，打猎时总是必须戴着眼镜。一整天活动下来，晚上回到农场里时，他总是筋疲力尽，累得喘不过气来。

海明威等人在农场住了两个礼拜，这才习惯了非洲高原的环境和气候。波西瓦看大家已经渐入佳境，就动手规划大规模的出猎计划，准备将狩猎团拉到坦桑尼亚。狩猎团包括两部专门运载帐篷营具的货车、一辆坐人的客车，波西瓦还找来了三个人：助手福里、司机卡莫和背枪手姆可拉。

坦桑尼亚这个国家在肯尼亚的南面，所以出猎的第一天，一行人浩浩荡荡地向南跑了大约 200 公里来到阿鲁沙区，当天晚上就住在阿西娜旅馆。从旅馆窗口远眺，可以看到非洲第一高峰乞力马扎罗山[1]在东北方形成一道天然屏障。海明威遥望着乞力马扎罗那雪白发亮的山峰，一股写作欲望似乎在胸口蠢蠢欲动，又一则故事开始酝酿了。

1　乞力马扎罗山位于坦桑尼亚和肯尼亚边境，是非洲第一高峰，海拔5895公尺，虽然地处热带，山顶却终年白雪，是非洲的地标景观。乞力马扎罗山是一座休眠火山，上一次火山爆发约在十万年前。

第二天，狩猎团离开旅馆，波西瓦带领车队前进到一条净洁的溪流，在溪流河畔辟出营地，搭起帐篷，作为打猎的基地。

出猎时，大家从营地开车出发，驰骋在原野上，伺机追捕猎物。头几天收获不少，大家猎获了旋角大羚羊、花毛羚羊、瞪羚、南非羚羊、大羚羊和两头豹子。在愉快的气氛中，1932 年的圣诞节和 1933 年的元旦也悄悄来报到，大伙儿在篝火晚会中互相祝贺“圣诞快乐，新年快乐”。

元旦才刚过，海明威发现自己泻肚子了，好像得了阿米巴痢疾，他自己却说不上染病的原因。营地距离医院很远，大家为他着急，海明威却一副无所谓的样子，每天还是跟着团队坐着汽车出猎。

这天，狩猎队猎到第一头狮子。

他们在一丛树荫下发现一头狮子的身影，大伙儿从车上蹑足地走下来，宝琳在中间，波西瓦在她身后，海明威从左边抄向前，汤普森从右边靠近。宝琳发出第一枪，那头狮子跳起来回身要跑，海明威补上一枪，狮子应声倒地。

背枪手姆可拉兴奋地大叫：“夫人打到一头狮子了！”大家也以为是宝琳打中的，高高兴兴地把她抬起来，唱着狩猎歌把她送回营地才放下。

后来，海明威也打中了一头狮子，这回是一枪毙命。他高高兴兴地和猎物合照了一张相。

到了11月中旬，海明威的病情更严重了，全身无力到连猎枪都举不起来。波西瓦看情况不妙，不顾海明威的极力反对，用无线电呼叫了一架两人座小型救护飞机，坚持要海明威去就医。

他们在营地附近辟建临时跑道，点上篝火，引导飞机降落。海明威看飞机都来了，只好乖乖地爬上飞机，坐在飞行员身后的座位，人一着椅身体就疲软地蜷缩着，看来这位大作家一直是以意志力顽强抵抗病菌。

肯尼亚的医疗设备比较完备，于是飞行员先飞到阿鲁沙降落加油，再起飞直抵肯尼亚首都内罗毕。海明威被送进了当地医院，安德森医生先帮他注射了针剂，六小时之后，海明威的病情显著改善，脸色不再那么苍白了。安德森医生准许海明威住在比较舒适的新斯坦利旅馆，让他可以安安静静地休养。

旅馆转来海明威这一阵子的信件。帕金斯的来信说，《胜利者一无所有》一书到圣诞节已售出12500册。这个好消息让海明威心花怒放，觉得病情好了一大半。

整天躺在旅馆里让海明威觉得无聊至极，他闲不住，干脆就坐在床上写稿，叙述这一个月来狩猎的成果和自己得痢疾的经过，他把稿件寄给美国的杂志社发表，信件中还附上他和猎物狮子的合照。

休息了十来天，海明威终于痊愈了，回到高原继续狩猎。

这个季节平原的动物已经稀少，狩猎队渐往山区走，猎到的动物大多是犀牛和羚羊。

晚上是一天最愉快舒服的时候。大家洗了澡，穿着舒适的宽松睡衣、防蚊的靴子，拿了折叠椅围坐在篝火旁，一边喝威士忌，一边回味当天的打猎场面，或者听波西瓦讲述名人轶事。

雨季快来了，这也代表狩猎期已经接近尾声。海明威突然发现汤普森的猎物比他的多，他的好胜心马上涌现，决定在离开营地前迎头赶上。

这一天，海明威猎到了一只羚羊，他喜形于色地背着猎物回营地，却发现汤普森也猎到一只，而且体型硕大多了。海明威生了一夜的闷气，又过了几天，他打到了两只大羚羊，汤普森则只猎到几只小动物，他这才觉得心里好过了一些。

狩猎季结束了，总计狩猎团的非洲之旅长达 72 天。一行人向波西瓦道别，感谢他两个多月来的陪伴，也相约下回再找时间访问非洲。

该准备回法国去了，回程仍然从蒙巴萨港口坐船，这回搭乘的瑞典邮轮非常豪华，船上有调温装置和海水游泳池。一行人在船上快快乐乐地回忆非洲狩猎之旅的点点滴滴，十几天的返航行程仿佛才一眨眼就过去了。回到了法国蔚蓝海岸的维勒弗许港，大家相伴从尼斯坐火车北上巴黎，汤普森先行回美国去，海明威夫妇则准备晚个几天再走。

海明威知道自己会再次造访非洲大陆，他渴望知道得更多，他

希望能在当地住下,学习当地的语言。

“但不必急于一时,”海明威心想,“等雨季过后再说。”

雪山盟

1933年4月初,海明威夫妇回到纽约,两人相偕去了一趟布鲁克林区的维拉造船厂,订购了一艘游艇,约定30天后在迈阿密交货。

这艘游艇是为了要去比美尼岛才订购的。比美尼岛在迈阿密东面40公里,听说是一处钓鱼天堂。自己有了船,想去随时都可以去。

然后,海明威夫妇回到离开七个月之久的基威斯特。

在非洲这段期间,海明威没正正经经写过一本书,现在,他收回玩心,认真写作非洲之行的故事。第一个萦绕心头的影子是那座山头白雪皑皑的乞力马扎罗山,海明威回忆起波西瓦在火光闪烁的篝火边所说的一则故事:

许多年前,有一名登山者攀登乞力马扎罗山,他在山巅火山口的边缘发现了一只冻僵了的豹子死尸。这名登山者非常纳闷,这只美丽的花豹来到山顶做什么呢?因为这座高山的山顶终年积雪不融,放眼望去不见任何花草或动物,肉食性的豹子来到山顶难保不会被饿死或冻死。

“没有人知道那头豹子到山顶去做什么。”波西瓦留下了一个没人能回答的问题。海明威自己虽然也没办法解开这个谜题，但他的心中却深深着迷于这一则故事。他预计以这座雪山为背景，写作一则短篇小说。

他在非洲狩猎期间，一些故事的片段早已开始酝酿：故事主角和现实世界中的自己一样也是个作家，作家有个疼爱他的叔叔，叔叔非常以侄子是个作家为荣，总是告诉他："真正的作家如同狩猎者，需要足够的毅力，才能寻得猎物。"故事中的作家也和结发妻子定居在巴黎，后来两人因故离异，作家又娶了一名他不爱的名媛，这位名媛倒是深爱这位才气横溢的作家，不畏辛苦地跟着丈夫到非洲狩猎。

海明威将非洲打猎之旅的一些事情略加更改写进了故事中，故事中涉及真实人物时，他就将有关人物的真实姓名全部换掉，只保留那些非洲人的名字没变，让故事在真真假假、虚虚实实中交错着。

海明威原本计划每天规律写作，直到小说写完为止。不过这个计划很快就被打乱了。

5月初，海明威接到通知，说订购的游艇已经打造好并开到迈阿密了，海明威赶快找桑德斯一起去开回来，并把这艘游艇命名为"比拉号"。

"比拉号"进港时，新漆的船身在阳光下闪烁发亮。海明威的弟弟莱斯特正好也来了，亲眼目睹"比拉号"进港的英姿。船上有两台引擎，开足马力，每小时可以在平静的海面走60海里。船舱可容纳

六个人，船尾舵手座可坐两个人。围栏全部镀镍，光泽照人。大家上船东摸摸西看看，又试航了一周才过了瘾。

7月中，古巴的卡洛斯来信说，可以捕马林鱼了。

海明威马上去找罗索尔，请他掌舵“比拉号”，一起到哈瓦那去。因为在美国实施了13年的禁酒令解除了，酿酒、卖酒的生意正式合法，大家买酒的途径畅通无阻，于是罗索尔经营数十年的酒馆生意变得很差，让他整日愁眉苦脸的，没心情和海明威出海去。

海明威只好找了一个小伙子安诺德来帮忙。

安诺德不懂航海知识。他从明尼苏达步行到基威斯特求见海明威，想向他请教如何写作。海明威给他取个外号，叫迈斯。

“你将来一定会成为一个很好的作家。”有一次海明威对他说。

“真的？”迈斯以为海明威看出了他具有文学才华。

“因为你干别的都不行。”海明威很无情地泼了他一头冷水。

“这回我们要开着‘比拉号’到哈瓦那去，你总能帮点忙吧？”海明威对他说。

“可以，可以。”安诺德一口应允。

不过出海时，需要安诺德灵活敏捷时，他还是一样磨磨蹭蹭，要不就激动得手足无措。

他还会晕船哪！

海明威只好自己掌舵了。“比拉号”到达哈瓦那，卡洛斯帮忙找来了名叫胡安的舵手，胡安还是个厨艺不错的厨师。

海明威在哈瓦那遇到两名学者，一个是费城国家科学院院长，叫卡德瓦拉德；一个是鱼类学家，叫福勒。两人是来研究马林鱼生态的，海明威非常热情地邀他们同行出海。在海明威的帮助下，两位学者经过一个月的实务，搜集了许多资料。海明威还告诉他们有关马林鱼的生活习性等知识，使两位学者有机会修改马林鱼的研究数据，以及马林鱼在北大西洋分布的情况。卡德瓦拉德说，这次的海上活动，是他一生中最美好的一次假期。

海明威虽然每天还是持续写作，只是注意力大半关注在“比拉号”上，所以写作速度十分缓慢。

海明威写信给丈母娘，说他正在写作一本小说，又说每回他努力写作、没有收入的时候，家人就说他游手好闲；等到书出版以后，他空暇了，真正成为游手好闲者，家人却又十分尊敬他，奉他为财神爷。

这些话大概是海明威的心声吧！

捕捉马林鱼的季节结束后，海明威返回基威斯特，继续写作。被使用了两个月的“比拉号”暂时留在哈瓦那，进行检修清洗。

有一天晚上，海明威在收听电台广播时，突然听到一个有点熟悉的声音，仔细一听，原来是早年在巴黎认识的女作家斯坦因。海明威顿时有点恍如隔世的遥远感觉！

原来，自从海明威回美国定居之后，和斯坦因的关系似乎渐行渐疏。上回的非洲之行，斯坦因的《托克拉丝自传》正好在杂志连载，其中提到海明威的片段，有“斯坦因和安德森造就了海明威”、“海明

威从帮忙校对中学会写作的手法”之类的话，这些叙述让海明威感到非常不悦，他不否认初到巴黎时接受过斯坦因的帮忙，但从不认为自己的写作风格和技巧是斯坦因造就的。两人的关系因为这篇连载而到达冰点。

幸好让人高兴的事情又来了：在非洲狩猎的战利品从纽约转运到家里来了。这些动物从蒙巴萨运到纽约，运费花了750美元，再请纽约的动物标本剥制公司制作成标本，又花了360多美元。现在，这些动物标本全部制作完毕。狮、豹的皮毛制成垫毯，保留张牙舞爪的形状。黑貂、棕灰色大羚羊、直角大羚羊则制作成挂在墙上的动物头角。海明威一一欣赏，昔日父亲亲自动手把猎物制作成标本的记忆，还有展示标本的那间诊疗室，又一一浮现在眼前。

心情大好的海明威写作渐入佳境。这时，他故事中的主角在非洲打猎，因为疼爱他的叔叔在临终时告诉他非洲雪山上发现了一头冰冻豹尸，作家想亲临非洲大地看看这座雪山，也想找出那头花豹置身死地的原因。不幸的是，作家在打猎时受了伤，伤口坏疽，最后客死异乡。

海明威总算写完了这篇小说，他把书名定为《雪山盟》，把书稿交给《绅士》杂志连载，最后一期刊登在1936年8月号。连载期间，海明威不时收到读者来信，说这篇小说写得多么感人，总是翘首盼望着下一期的连载。

《雪山盟》一书各界的反应非常好，十多年后，这部短篇小说还由好莱坞改拍成电影，由亨利金导演，葛雷哥莱毕克和苏珊海华主演。虽然海明威对于电影剧本擅改故事情节非常耿耿于怀，但电影却成为一部脍炙人口的经典之作。

海明威的作家名气使他成为基威斯特最有名的公民，他所居住的那条街——白头街，也成为游客参观的地点。幸运的游客有时会看到大作家海明威穿着邋遢、大踏步地走出自家大门，走到汤普森的钓具行里挑钓竿，或是进到罗索尔的酒馆里，坐在吧台上点上一杯酒喝。

还曾经有游客看见海明威拄着拐杖一拐一拐地走在街上。原来海明威在星期天大清早又和朋友登上"比拉号"前往比美尼岛准备钓鱼。路途上，大家手拿钓具想捉几条鱼。海明威左手执着鱼叉，右手拿着手枪，突然鱼叉啪啦一声断了，右手的手枪竟然击发，打中自己的大腿。大家手忙脚乱帮忙止血，并把"比拉号"开回基威斯特。医生为海明威打了破伤风针，把腿里的子弹取出。这回海明威休息了一个星期伤口才痊愈，他很庆幸当天自己的枪法失了准头！

西班牙内战

1936年7月，西班牙爆发内战[1]，由佛朗哥领军的民族阵线叛军

1　1936年7月，西班牙民兵领袖佛朗哥发动武装叛乱，与人民共和政府爆发激战，拉开了西班牙内战的序幕。佛朗哥有德国希特勒和意大利墨索里尼的20万大军

反抗选举产生的人民共和政府，双方在马德里郊外爆发枪战。这时候，法、英等各国纷纷对西班牙政府采取封锁政策，实施武器禁运，美国甚至供给石油给叛军。德、意的法西斯政府则是明目张胆地派军协助西班牙叛军作战。站在人民共和政府一方的，是来自54个国家的三万多名志愿军组成的国际纵队。

海明威这时候正在怀俄明山区旅行打猎，同行的除了太太宝琳之外，还有小姨子珍妮，两个儿子班比和帕特里克。他们一家人住进牧场附近河边高地的一座大房子，客厅有壁炉，还有一间多余的客房，可以让海明威工作。

海明威写信给西班牙的朋友，说他暂时不能到西班牙。其实海明威内心是非常想去西班牙战区采访的，胸臆中一股蠢蠢欲动的热流让他无法静下心来写作。

9月，海明威写信给史奎尔伯纳出版社的帕金斯，说西班牙内战使他感到不安，战争打乱了他的计划；而他无法到西班牙去，更令他感到丧气。

不久，报纸上出现一则短讯，说海明威将到西班牙战地采访。这则消息究竟是怎么来的，身为当事人的海明威也不清楚。但是没过几天，他就接到了北美报业联合会总经理约翰·威勒的来信，信中说他看到报上的讯息，他所代表的北美报业联合会是由60家报社

协助，而国际社会则对德、意两国的行径毫无制裁，反倒对人民共和政府采取封锁政策。1939年4月1日，佛朗哥推翻共和政府，开始法西斯独裁统治。

所组成，询问海明威能否代表北美报业联合会到西班牙战地采访。海明威正求之不得，立即回信接下这桩差事。

时序已经进入1937年，西班牙内战似乎没有任何停火的迹象，而且短期之内也难以结束。1月，海明威北上纽约，和北美报业联合会总经理约翰·威勒签立合约，合约议定：电报稿每篇500美元，邮寄稿1200字以上，每篇1000美元。如此，这次出任战地记者的经费总算有了眉目。

3月，终于要动身了。海明威从纽约搭乘“巴黎号”邮轮前往法国。他在巴黎停留了十天，因为同行的老记者富兰克林的西班牙签证下不来。海明威等得很急，他租了一辆汽车去法、西边境，途中汽车两次被肩上扛着步枪的边防武装警察拦阻检查。边防警官说，只有持法国政府签发的特别签证人员才能通过边防。海明威心想，真是讽刺啊！意大利墨索里尼支持佛朗哥的部队都已经侵入西班牙了，法国还在高举“不干涉”的大旗对西班牙政府进行封锁。

最后海明威等不及了，自己坐上法航班机到西班牙的巴塞罗纳，再继续往西班牙南部前进。到了瓦伦西亚，他去新闻局申请一张官方通行证，新闻局派了司机托玛斯，送海明威到马德里的佛罗里达旅馆住下。海明威立刻要前往瓜达拉哈拉大捷的战场，共和政府军的克尔将军亲自带他到郊外80公里的战役现场，只见弃置的枪炮堆积如山，公路上留下抛锚的坦克车和卡车，四处散布着意大利士兵的尸骸。

克尔将军对海明威说，意大利派出的援军在这场战役的惨败，粉碎了佛朗哥叛军包围马德里的美梦；我们政府军和人民的力量不容忽视，我们将会发动反攻。

海明威马上发了一封电报，向美国国内发表第一篇实地报道。

第二天，海明威又到瓜达拉哈拉，从高处观察叛军的行动，也和政府军的士兵聊天，了解他们对内战的看法。

海明威精力充沛，在轰隆隆的炮弹声中穿梭，在旅馆灯光下熬夜写报道，仿佛年轻时在意大利战地当救护车司机的情景再现。这让他觉得很踏实。

他随时和克尔将军保持联系，及早取得战地消息。这使得他的战地报道非常具有权威性。

海明威常常不在旅馆里，每天早出晚归，采访马德里市郊的几个阵地。

这时，叛军密集轰炸马德里，建筑塌陷，无数平民伤亡，佛罗里达旅馆也不免有些损毁。

5月时，海明威发出最后一篇战地报道，准备整装返国。克尔将军特地举行一场宴会，为海明威送行。来参加的还有第十二国际支队的卢卡斯将军、里格勒政委、海尔布兰医官等人。卢卡斯将军是匈牙利著名的小说家。他们都视海明威为感情亲密的朋友，而非来来去去的战地记者。

挥别45天的战地采访，海明威先转往巴黎。英美新闻俱乐部和莎士比亚书店分别邀请海明威举办讲座，请他谈一谈西班牙内战的所见所闻。海明威告诉大家，战事还没结束，他还会再回西班牙。海明威的观察非常有先见之明，因为这一场战火延烧了近三年才结束。

海明威回到纽约之后，马不停蹄地为西班牙人民和政府军发表声明，希望国际社会能正视正萌芽的法西斯主义。他出席了第二届美国作家代表大会。这场大会在卡内基音乐厅举行，大会先行放映了海明威与荷兰导演伊文斯合作拍摄的《西班牙大地》纪录片。这部纪录片是在西班牙战场实地拍摄，忠实写真的镜头让座无虚席的观众仿佛也置身在西班牙战区。

接着，大会主席宣布海明威发言，全场掌声如雷。

海明威以“法西斯主义是场骗局”为题，告诉在场来宾：正直的作家无法在法西斯制度下生存和工作，法西斯独裁者的言词无疑都是谎言。

7月时，海明威飞往首都华盛顿，参加白宫宴会，会后陪罗斯福总统伉俪观看《西班牙大地》纪录片。两天之后，海明威和导演伊文斯一同飞到好莱坞，放映《西班牙大地》，为西班牙人民募集资金。募捐活动非常成功，短短几天，募款已达数万美元。

8月，海明威再度前往西班牙。

西班牙的战况仍然胶着，叛军已经占领北部各省，对马德里的轰炸日益紧密。到了11月，前线传来特鲁埃反攻捷报。人在巴塞罗纳

的海明威精神为之一振，驱车前往当地的司令部采访。司令部设在隧道内的一节旧车厢里，海明威看到士兵在寒风中生火取暖，口中哼哼唧唧，这一幅景象让他十分感动。五天之后，特鲁埃全市收复，海明威随着政府军入城，看到叛军投降的一幕，还有欢声雷动的市民，心中激动无比。

圣诞节前夕，海明威离开西班牙，结束第二次战地采访。

过了一个新年，西班牙烽火依旧。海明威和北美报业联合会再度签下六个月的新合约，于 1938 年 3 月带着两名记者希斯和吉姆同行，第三次前往西班牙战地采访。

海明威到达巴塞罗纳时，对于眼前所见感到惊愕。巴塞罗纳全市几乎变成一片废墟，市民或逃或藏，罕见人迹。他驱车沿途南下，一路上见到扶老携幼的难民，还有战败撤退的政府军。

形势对政府军非常不利，海明威忧心忡忡。

5月中旬，海明威返回基威斯特，他写了几篇文章发表在杂志上。文章中批评美国国务院不应该禁止西班牙政府购买武器。他也抨击英国首相张伯伦，说他姑息养奸，纵容法西斯主义扩张；最后，海明威呼吁罗斯福总统支持西班牙政府。

几次的战地采访，让海明威大胆预言：最迟在 1939 年夏天，欧洲将爆发一场大战；国际社会必须在德国希特勒和意大利墨索里尼席卷欧洲之前，阻止法西斯主义的蔓延。

10 月下旬，海明威第四次来到内战中的西班牙。这时佛朗哥的民族阵线几乎已经控制了整个西班牙，人民共和政府则完全处于劣势，所统治的区域仅剩下马德里和巴塞罗纳两座城市。

一切似乎已经来不及挽回了。海明威的朋友举行了一场私人酒宴，宴会中大家为内战牺牲的人民默哀。海明威举杯，静静哀悼在战事中不幸身亡的朋友。

金发美女玛莎

海明威第一次到西班牙采访内战时，遇到了一位红粉知己——玛莎，两人是在基威斯特认识的，就在西班牙内战爆发那一年 12 月的某一天。

这天，基威斯特的"懒人乔" 酒吧来了三名游客，海明威正和老板聊天，偶尔抬眼一看，眼睛不由得一亮。

三名游客看来是一家人：一个是五十开外的漂亮女人，一个是大学生模样的男孩，一个是金发美女，有着明星般的风采。

海明威身穿有点破旧的短裤和恤衫，走过去介绍自己。

漂亮母亲说自己叫艾德娜·葛宏，丈夫前阵子过世了；旁边的金发女子是她的女儿，叫玛莎，出版过两本书；男孩是她儿子，叫阿弗利。

海明威对玛莎另眼相待，玛莎对这么一个外表邋里邋遢的男人却没什么好感。海明威还是非常热情地招待这一家人，陪他们环岛

参观，请他们到家中见见宝琳。

过了几天，玛莎的母亲和弟弟有事先走了，玛莎留下来多待几天。这期间海明威殷勤地尽地主之谊，带她到各处去玩，一起拜访他的朋友，还让玛莎住在他家。海明威似乎被这位金发女郎弄得神魂颠倒了。宝琳自然有着身为女人的敏感，她默默看在眼里，希望事情不会真的发生。

大家一起欢度元旦，迎接1937年的到来之后，玛莎接着准备前往迈阿密，然后搭火车北上纽约。海明威也正好要到纽约一趟，和北美报业联合会签订西班牙内战采访的合同。他坐上和玛莎同一班的列车。两人在火车上促膝长谈，聊聊有关文学创作的事。

几天后，玛莎写了一封信给宝琳。信中说，家乡圣路易斯风很大，气候潮湿，她盼望能乘船到别的地方去玩。她说，她怀着极为崇敬的心情读了海明威的小说集，认为他是一位非常可爱的人。

宝琳读完之后，隐约觉得有事正在微妙地发展。

过了几个月，海明威以战地记者的身分，前往西班牙采访内战。有一天晚上，他到维亚旅馆的地下楼餐厅用餐，迎面碰上了玛莎。

“啊，我就知道你会来，因为我帮你办好了一切手续，你才能来。”海明威高兴地说。

“谁说的？”玛莎不给他留情面，“你只不过打了一两通电话。”

玛莎是以《柯里尔》杂志的特派记者身份前来的。事实上，她个性极为独立自主，什么事都能自己来。

玛莎刚来不久，还没决定住哪家旅馆，于是海明威帮她安排，也和自己一样住宿在佛罗里达旅馆。第二天，海明威陪玛莎去见新闻官，申办了采访通行证；然后，他们两人一起到马德里市郊的瓜达拉哈拉战场采访，观察敌军最新动态，并且和作战士兵闲话家常。

战地紧张的采访步调，让玛莎和海明威更加亲密，到了4月份，两人已经形影不离了。

1937年夏天，政府军收复了贝尔奇特，海明威和玛莎共同抵达当地，他们是最早现身前线的美国记者。

这里的山区地势寒气袭人，他们有时候步行，有时候骑马，有时候坐军用卡车，困了就地而睡，饿了跟农民买点粮食。这一切辛苦，玛莎从没喊过一声苦，这种坚毅的形象，让海明威更加深爱这女人，觉得两人可以祸福与共。

海明威记下这一切，在日后写了一出剧本——《第五纵队》，女主角就是玛莎的化身，一位身材高挑的金发女记者。

圣诞节前夕，海明威和玛莎回到巴黎，准备欢度圣诞节，哪知宝琳也悄悄地来到巴黎。

宝琳早就看出事有蹊跷。她来到巴黎有一阵子了，正准备到西班牙去，可是签证还没下来，不料海明威已经先回巴黎了。

宝琳把自己打扮得很讲究，还梳了一头玛莎的发型。海明威看到宝琳，顿时觉得人不舒服，还去看了医生。医生说他没事，多休息

就好了。

宝琳和海明威住在艾莉萨旅馆顶楼，宝琳不想拐弯抹角，直接质问海明威是不是爱上了玛莎。

“你别问了！”海明威不知该如何回答。

“为什么我不能问，如果我今天没到巴黎来找你，你还要瞒我多久？”宝琳想起自己被蒙在鼓里，内心不由得一阵绞痛。

“时候到了，我自然会告诉你。”海明威脸色铁青。

“你这是什么话……”宝琳眼泪像决了堤的洪水，“看来我在你眼中是多余的，我去死好了！”

宝琳奔到窗台，看着楼层下的街巷，觉得万念俱灰，一只脚就要跨过栏杆。

“你做什么傻事，这里是顶楼，跳下会没命的！”海明威抢在她身后，强拉着宝琳离开窗台，把窗子锁上。

宝琳抽泣着，最后累得睡着了。

第二天，两人当成什么也没发生过一样，不再提起昨晚的争吵。

1938 年 11 月，海明威陪着宝琳回到基威斯特，暂时把精力放在写作上。他变得暴躁、多疑。他写信向帕金斯诉苦，说他简直处在一种疯狂、野蛮、不道德的境地，他意识到自己对宝琳的不忠诚；而实际上，自己却又不愿意回家见到宝琳。他心里想着玛莎，想着自己应该再去一次西班牙。

3月,海明威第三次前往西班牙战地,妻子宝琳也跟着一起去。

到了法国,他把宝琳独自留在巴黎,和两名记者前往巴塞罗纳。到了巴塞罗纳,海明威转往塔拉哥纳,和玛莎会合。两人相见,迫不及待地诉说相思之苦。

隔天,海明威和玛莎沿着艾布洛河采访战况,三不五时会遇见溃散的兵丁,眼前所见一片孤寂,战况更加不乐观了。在一座桥边,他们碰见一名七十六岁的老人。老人说他匆促逃离了家乡,来不及照顾家里的牲畜,不知它们现在怎么了。听闻眼前的一切,让海明威百感交集。

海明威和玛莎两人在战区采访到5月中旬,接着回到巴黎,等待船班准备返回美国。至于两个月前被海明威遗忘在巴黎的宝琳,早已心碎地离开花都。

海明威与玛莎的关系,从西班牙到纽约,已经成为公开的秘密,海明威却佯装一切如常。不敢坦然面对情感问题,一直是海明威的弱点,否则当年也不至于和赫德莉走上离婚一途了。

这年夏天,海明威照例开车送宝琳和两个孩子上怀俄明山区避暑,他自己则照常在山区农庄里的工作室写作,只是他常常心不在焉,思绪不时地飞到玛莎身边。

终于,他按捺不住相思之情,从怀俄明山区下来回到纽约。第二天随即登上邮轮,前往法国,船靠港后,他很快转车到巴黎去找玛莎。

两人在巴黎度过一段悠闲的日子,海明威在这儿总算可以静下心来专心地写作。写作之余,再约几个同好到山林间打野鸡。

海明威已经下定决心要离开宝琳了。他写信告诉帕金斯说,他和宝琳两人之间的决裂只是早晚问题,这一阵子他完全不想回到家里,不想回去面对宝琳。他已经跟宝琳讲清楚,他会一直待在西班牙直到战争结束。

11月,海明威又去了一趟巴塞罗纳。西班牙政府军已陷入穷途末路,政权随时会翻盘。海明威心想,这就像他和宝琳的婚姻一样,只剩夕阳西下,黑夜很快就会来临。

第六章 定居古巴

战地钟声

1938年11月底，海明威回到基威斯特。他和宝琳两人装作没事，对外还是维持表面关系正常的样子。海明威这时正提笔写几则短篇小说，内容是以西班牙内战为背景，融入他在西班牙的所见所闻。

来年2月，海明威驾驶“比拉号”前往古巴的哈瓦那，他觉得还是离开家里比较能专心写作。在哈瓦那，他作息非常规律，早上八点到十二点是写书时间，下午就放轻松，去打打网球、游泳或钓鱼。这里没有恼人的事，海明威的写作非常顺利，他将写完的短篇小说寄到杂志社去发表。另外，他又构思了一个长篇小说的架构，仍然是以西班牙内战为背景，由于篇幅浩繁，需要更专注的写作。不过海明威暂时得回到基威斯特，因为长子班比回家了，他有好一阵子没看到自己的儿子了。

班比这年十六岁，身材开始拔高，和同父异母的两个弟弟一起玩耍，看起来就像个小大人。海明威看着三个儿子，这年帕特里克十一岁、格里哥利八岁，也许不久，他们会像哥哥班比一样，和妈妈同住，而不常在自己身边了。

基威斯特非常热闹，时常会有人前来拜访，好像只要有听过海明威的名字，就可以随时前来白头街 9007 号。对海明威来说，这是一种干扰。

4月时，海明威再度驾驶“比拉号”到哈瓦那。这回玛莎前来看他，并且在郊区找到一个旧庄园。庄园建在一处山坡上，站在窗口往外望，附近海域和哈瓦那市区可以一览无遗。房子已经破旧了，海明威并不满意，但是玛莎十分喜欢这里的环境，便决定租下来。她请工人来装修，又把室内精心摆设装潢，竟然就化身成为一处别墅般的住所。她把这个家命名为“维吉亚农庄”。

海明威看了觉得很惊讶，满心欢喜地搬了进来，和玛莎一起展开赁居哈瓦那的生活。他写信给帕金斯说，“维吉亚农庄”真是非常适合写作，都五月天了，还是凉风吹拂，毫无暑气逼人的情形；自己常常一坐下来写作就忘了时间，常常忘了吃饭，一直写到下午，甚至晚上。

8月中，海明威写完了这本长篇小说，一看竟然写了近八万字。海明威长长吐了一口气，初稿总算完成了，接下来还得再读一次，修剪润饰一番。

不过修润书稿的工作得往后延迟，因为 8 月到了，照例是他带孩子上怀俄明山区避暑的季节。这回只有班比跟爸爸去避暑，帕特里克和格里哥利跟着妈妈宝琳去外公外婆家了。没看到两个小儿子，海明威倍感孤寂。

等到班比回妈妈家后，海明威约了玛莎到爱达荷州的度假胜地太阳谷，投宿在一间豪华旅馆。两人在这个悠闲的小镇度过了一个美好的假期。

圣诞节即将来到，海明威写信给宝琳，说他会去陪孩子过节。宝琳回信说，假如做爸爸的只想年节时在家里陪小孩，过完节就拍拍屁股去会他的新情人，那这个爸爸就别来了。海明威接信自知理亏了，只好孤零零地度过一个没有家人陪伴的圣诞节。

1940年1月，海明威又到了哈瓦那，住进“维吉亚农庄”，上午仍然写稿不辍，下午就陪玛莎打网球、上酒吧。

4月下旬，海明威的长篇小说修改完了，一共写了35章，书名《战地钟声》，主角是一名志愿到西班牙参战的志愿兵，他在战地经历了男女之爱、同袍之情的拉扯。海明威将自己的生活经验融入情节，点醒人们战争所带来的灾难。10月，这本书上市，才五个月就狂卖了50万册。这本长篇小说将海明威的文学地位推至顶点。

11月4日，海明威和宝琳离婚，结束13年的婚姻生活。海明威和宝琳离婚两星期之后，就与玛莎结婚了。两人婚后定居在古巴的哈瓦那，那座玛莎当初选定的农庄——维吉亚农庄。

他们的蜜月旅行非常特殊，是到中国战地采访。当时，日本侵略中国，中国半壁江山成了战场。玛莎早在战事发生之初就想投身采访，没料到这回竟成了别具意义的蜜月之行。

1941 年 1 月 27 日，海明威和玛莎飞到西岸的洛杉矶，他们先到好莱坞影城参观。由于《战地钟声》即将开拍电影，海明威亲自挑选了贾利古柏饰演男主角乔丹；至于女主角有人推荐英格丽•褒曼来演，海明威没见过她，这回来好莱坞也要决定这件事。

会面过后，海明威很肯定英格丽•褒曼可以胜任这个角色，不过他有些担心她的耳朵。在故事中，女主角玛莉亚耳朵被法西斯分子剪断，而英格丽•褒曼的耳形却很完美，与她的身形一致。

海明威夫妇从美国西岸搭轮船到香港。玛莎先到马尼拉去采访，海明威则留在香港，体会英国殖民地的华人社会生活。

他到处逛街，跟三轮车夫、摊贩、富商、官员聊天，也去市场、赛马场、商店看看当地人的生活，一边等待玛莎一个月后回到香港。

之后，海明威夫妇搭机飞中国南阳，再往韶关、桂林、重庆、昆明，最后从印度的腊戌、仰光转飞香港，这一个月的中国战地之行，夫妇俩有些地方搭乘飞机前往，有些地方搭乘吉普车到达；当然也有全身湿透，在泥泞之中步行数天的辛苦经历。

5 月 6 日，海明威一个人踏上归乡的旅途，飞回旧金山，结束这趟奇异的远东之旅。玛莎则再次前往东南亚采访。马不停蹄的玛莎浑身充满干劲，媒体采访之专业更是不输记者出身的海明威，她对

国际政局的发展高度关注，是一位非常出色的女性媒体记者。

玛莎回国之后到旧金山和海明威会合，两人一起回到哈瓦那。

反间谍组织

1940年12月8日，日军偷袭珍珠港，消息传来，震撼了美国本土，美国正式对日本宣战。

这次宣战使全世界几乎都卷入了第二次世界大战[1]，德国潜水艇经常在古巴周围的加勒比海出没，这激发了海明威的奇想，想在哈瓦那搞个反间谍组织。

海明威向美国和古巴政府提出计划，后来获得授权。于是，海明威在哈瓦那招兵买马。他靠自己个人的号召力、买酒请客等招来一些渔民、工人和游民，让每个人四处留意纳粹可疑分子的行踪，每星期固定把消息传递到美国大使馆。海明威把这个组织称为“骗子工厂”，可见这个反间谍组织不是很严谨。

不久，海明威又向美国大使馆提出建议，建议把他的“比拉号”

1 第二次世界大战的交战双方是美、苏、中、英等国组成的“同盟国”，以及德、日、意等组成的“轴心国”。战火遍及欧、亚、美、非及大洋洲等五大洲，是迄今为止，人类社会规模最大、伤亡最惨重、破坏性最大的全球性战争。战争进展到最高潮时，有61个国家和地区参战，19亿的人口卷入战争。尽管在1939年9月前，中国抗日战争已经开始，但一般认为战争从1939年9月1日德国入侵波兰开始，到1945年9月2日日本向同盟国投降而告结束。

改装成侦察艇。获得批准之后，海明威挑了八名成员，分头负责“比拉号”出海巡逻的任务。

这些人都称海明威为海爸爸，海明威也很高兴人家叫他海爸爸。这个名称的由来是海明威收留了一个古巴孩子，叫他做什么事，他总是回答“好，爸爸”，后来大家也跟着学，就喊成了“海爸爸”，反倒成了对海明威的一种尊称。

“比拉号”上配备了手榴弹、机关枪和无线电收发机等。他们监听德国潜水艇的讯号，前后监听到了11艘德国潜水艇的军官对话，不过这些潜水艇根本不把这艘小船看在眼里，从不曾靠近“比拉号”。

“比拉号”的海上狩猎成果不彰，不过对“海爸爸”来说，公务之余还可以钓钓鱼。当时汽油是管制品，如果是平民的海钓活动，很难取得汽油。

对“海爸爸”的这种行径，玛莎很看不过去。

“海爸爸，你太不应该了。”玛莎说，“文明世界有多少人在对抗法西斯主义，甚至受伤、牺牲，你怎么这么自私！”

海明威听了很生气，跑去酒吧痛饮，渐渐变得有酗酒的习性。

在海明威的反间谍组织中，玛莎是郁闷不乐的一员，她不时见到“骗子工厂”的成员行踪诡异地出现，或是海明威的三教九流朋友来找他喝酒，而她却只能待在这个充满间谍气息的农庄无所事事。玛莎渴望回到新闻采访岗位。

最后，玛莎决定接受《柯里尔》杂志社的采访工作，离开哈瓦那，

把农庄留给海明威和他的“骗子工厂”。经过这几年的共同生活，玛莎深深觉得，海明威的利己主义远远超越他的才能。她情愿离家的原因，就是反对他完完全全控制她。

海明威的“骗子工厂”和“比拉号”的任务愈来愈业余，最后联邦调查局接手加勒比海的反间谍活动，海明威的授权遭撤除，“比拉号”的任务也从此解除了。

海明威在哈瓦那搞间谍活动时，独立的玛莎经常到欧洲战场采访。她觉得海明威也应该走出去，她不明白昔日那个西班牙战地记者到哪儿去了。

海明威似乎不想离开“比拉号”，他想留在哈瓦那。对他来说，欧洲战场就近在咫尺，想去的时候再去，现在还不急。

1943年10月，海明威打算驾驶“比拉号”出海三个月；玛莎觉得若要独守庄园，不如再度上欧洲前线。

妻子走了，海明威从海上回来后，抱怨自己仿佛生活在冷清的监狱中。这一两年来他也写不出东西，几乎交了白卷。幸好《战地钟声》长销，在美国销售了80万册。海明威认为自己还没有江郎才尽，这些日子以来的精彩经验，有朝一日一定能令他写出另一片天地。

1944年1月，海明威写信给玛莎，说他不想上欧洲，他对欧洲没兴趣。他要玛莎赶快回来，这些日子以来，他有妻子等于没妻子。他说，他只是一匹备好了鞍的马，任凭放纵的主人指使，准备跨越任何一道障碍。

玛莎接到信，有些动容，随即回到哈瓦那家中。她鼓励海明威采取行动，要勇敢地离开古巴，回到欧洲战场。

英国使馆的空军副官洛德·达尔曾经询问玛莎，她那声誉卓著的先生海明威，愿不愿意在美国杂志报导英国空军的英勇事迹，如果愿意，他可以安排海明威搭公家的补给飞机到伦敦。

对于这项安排，《柯里尔》杂志求之不得，愿意和海明威签约，请他以《柯里尔》杂志驻欧记者的身分出发。在玛莎的鼓动下，海明威也点头签下合约。

5月，海明威和玛莎离开古巴，到纽约等待空军航班。

在前方，等待海明威的是什么呢？

第二次世界大战的战地记者

1944年5月17日，海明威飞往伦敦。这是他第一次造访伦敦，一切见闻对他来说都是新鲜的。他听到空袭警报声，那是德国轰炸机来袭。第二次世界大战已经打了五年了，置身其中，海明威才发觉自己来得有多晚！

第二天，他发现来自世界各地的战地记者有三百多人云集伦敦。海明威到英国皇家空军司令部报到，新闻官名叫乔治·休顿，海明威说他想随军机飞到欧洲大陆，写些实战的报道，休顿于是派了一名飞行顾问给他。

战机出勤到欧洲，必须等待上级命令，不是说飞就飞，海明威只能回旅馆耐心等待。

玛莎这时到大西洋采访去了，海明威觉得很是孤单，幸好许多旧识听说他来到伦敦，纷纷请他去赴宴。

海明威在朋友的家宴中结识了一对夫妇，丈夫高尔是个医生，高尔夫人是德国人，能说一点点英文。海明威和高尔打开话匣子，两人一边喝酒，一边聊天。到了午夜，海明威玩兴正浓，要大家一起来打拳击，直到凌晨三点，高尔夫妇开车送海明威回旅馆。

街上一片漆黑，满身酒味的高尔强打着精神开车，走了不到半公里，就撞上路边一座贮水大钢箱。海明威整个人冲向挡风玻璃，额头划开了一道伤口，满头满脸是血，被人送进了医院。

医生诊断海明威有严重脑震荡，两个膝盖也因撞上仪表板，肿胀得很厉害。医生花了两个多小时，缝合伤口 57 针。手术后，海明威头上缠着绷带，头痛不已。

玛莎乘船回伦敦，中途在利物浦停靠，有记者问她对自己先生在宴会后遇车祸受伤的看法。玛莎根本不知道发生了什么事，等她了解丈夫是通宵玩乐惹了祸，心里非常不高兴。回到伦敦，玛莎去探望海明威。她看见丈夫躺在病床上，双手交叠在脑后，头上的绷带缠得像个穆斯林[1]，一大把很久没修剪的胡子快把胸脯遮盖了，不禁哈

1 信仰伊斯兰教”的人称为“穆斯林”。伊斯兰教是世界主要三大宗教（即基督教、佛教和伊斯兰教）之一。

哈大笑起来。

海明威原本期待玛莎会怜悯问候，没想到她竟然以取笑对待，整个脸色沉了下来。最后两人不欢而散。

过了几天海明威出院了。医生嘱咐他，由于他脑震荡尚未痊愈，不宜喝烈酒；但是等他一出院，什么顾忌也没有，威士忌没有少喝。

6月1日上午，弟弟莱斯特到旅馆来看哥哥。海明威已经起床，穿好衣服了，可是他的头嗡嗡作响，他以为在房间的人都听得见这声音。

海明威虽然还没痊愈，可是他坚持随军采访。皇家空军发给他一套有“记者”肩章的制服和一只紧急包，里面有地图、药片、罗盘、现钞和巧克力，万一飞机被击落，可以维持三天的生活所需。

第二天，海明威和几百名战地记者飞到英国南部海岸，等候命令。大家议论纷纷，嗅出空气中有一股紧张神秘的氛围。

6月5日晚上，细雨濛濛，大家登上一艘攻击舰。

海明威这艘船的指挥官是爱尔兰军人，叫李希。海明威走上前去，问他这次行动是佯攻还是要登陆，李希回答说：“要登陆。”凌晨二时，舰队乘风破浪驶过了英吉利海峡中线。

天色蒙蒙亮，西北风卷起的巨浪无情地向舰队袭来，海水淋湿了士兵的制服。海明威站在司令官安德森旁边，从制服底下拿出老式的双筒望远镜。他看到大型军舰“德克萨斯号”和“阿肯萨斯号”向法国海岸开炮，碉堡里一名德国士兵的手臂被炮火打断，断臂飞

到半空中。岸上的景致清晰可见:岸边有许多铁桩,上面挂着炸雷,两辆被打坏的坦克躺在水边……

船上的记者交头接耳,猜测这登陆的地点是哪里。海明威倒是认出来了,这里是格林沙滩。这天正是 1944 年 6 月 6 日,星期二。盟军在这天发动大规模的“诺曼底登陆”。

海明威并没有机会登陆,司令官安德森受命将他送回英国,生怕这位声闻国际的大文豪稍有闪失。玛莎跟随的是医疗船,6 月 6 日在法国岸边接收伤员时,玛莎也跟着上了岸。

盟军登陆以后,快速向法国内陆挺进。德国为了报复,立即向英国东南沿海一带发射 V 形飞弹,伦敦市内不时可听到炮声。

7 月,海明威越过英吉利海峡,再次来到诺曼底。他到第四步兵师的记者营,要求会见这个师的指挥官,有人把他带到巴顿将军的临时办公室。巴顿将军个子高大,他记得海明威是个体育记者,好像跟哪个名人比赛过拳击。他告诉海明威,他的部队正在准备进攻计划,他实在没时间接受采访。他指派史蒂文森上校照料海明威。

史蒂文森上校陪同海明威,见了巴顿司令部的所有军官。

过了几天,海明威深入前线采访第二十二步兵团。司令官兰哈姆听到报告说有个柯里尔上校来访,于是答应接见。

“你是柯里尔上校?”兰哈姆抬头看着走进办公室的高大男子。

“不是,我是《柯里尔》的记者,名叫海明威。”

“那肯定是欧内斯特了。”兰哈姆一听到姓,就马上叫出了海明威的名。

“没错，我就是欧内斯特，欧内斯特·海明威。”

兰哈姆上校毕业于西点军校，也是个作家和诗人，喜欢文学创作。他很热情地招待海明威。

接下来的九天，海明威就留在第二十二步兵团，随着军队向法国南部转进。他跟着士兵跨越山岗，沿着尘土飞扬的公路前进，走过麦田，麦田里还散布着被炸坏的坦克车，不时看到遭击毙的士兵，敌对双方都有。在行军的路上，经常是睡一下就得走，露天泥地、谷仓、农车……全都睡过。海明威自称这是一次“和步兵艰苦而愉快的行军”。

7月31日，海明威向部队要了一辆德国人缴交的侧三轮摩托车。巴顿将军派了一个司机给他，一个纽约来的小伙子佩基。

盟军的下一个目标是收复巴黎。

司机佩基载着海明威来到小镇洪布耶，海明威在镇外道路旁的格兰德维娜旅馆租了两间房间，作为法国游击队和美国部队的联络点。美军战略情报局的布鲁斯上校来到时，发现海明威指挥着十名游击队员，巡逻兵不断回来报告消息。

收复巴黎的任务交由法军第二装甲师勒克莱尔将军负责，大批记者闻风赶来，挤爆海明威下榻的格兰德维娜旅馆。有些记者见海明威指挥着游击兵，房间里放着一些武器，别着“记者”肩章的外套也不穿，认为他刻意违返《日内瓦公约》。《日内瓦公约》规定战地采

访记者不可佩带武器，衣着上必须别上“记者”肩章。海明威不予理会，只是帮着勒克莱尔将军收集情极。

由于和法国游击队相处久了，司机佩基不喜欢自己的小名，反而喜欢游击队员取的绰号“吉姆”。有一天，他突然对大家说：“我把英语忘得一干二净了。”大家听了大笑，因为他这句话是用流利法语讲出来的。

8月底，法国装甲师向巴黎缓缓推进。海明威和佩基带着游击队抄小路赶在勒克莱尔将军之前。一路上不时看到德军仓皇留下的卡车、军火。这一天，他们终于来到了塞纳—马恩省河，看到道路两旁站满市民，家家户户挂着法国国旗，庆祝收复巴黎。接着他们来到了无名战士纪念碑，登上顶楼，可以看见爱丽舍宫那边有辆汽车着火了，在杜乐丽花园也有一辆坦克在燃烧……在凯旋门附近，敌人的狙击手不断地开枪，法国人立即开枪还击。

海明威他们把车子开往丽池饭店。这家饭店一直有营业，即使在德国占领时期也不例外。他们到达时，一名经理站在门口迎接这些远道而来的客人，安排住宿，询问他们需要吃点什么，大伙儿订了50瓶马提尼鸡尾酒。海明威发现饭店的设施完美无缺，丝毫未受战火破坏，只是找不到侍者，鸡尾酒也掺了很多水。

海明威发现，巴黎在德军占领的四年期间，没有什么变化。他到处去串门子，人人都欢迎他，赞美他是“刀枪不入的强悍者”。

海明威到莎士比亚书店探望老朋友，书店老板雪维尔·毕奇小姐仍保存着1937年春天海明威从西班牙回巴黎时送给她的亲笔签名书《胜利者一无所有》。海明威拿过钢笔，在原来签字的地方添上了两个字："赞美"；写上新的日期：1944年8月25日于巴黎。

9月1日，海明威收到一封密码信件。原来是兰哈姆写的，他说："见鬼了，海明威，我们都在同敌人激战，你却躲在后方。"朋友的这番话他不能无动于衷。第二天清早，海明威整理好行装，由一直跟着他的法国游击队员迪康开车，离开巴黎向北方疾驶。一路上，他们遇到几支逃窜的德军，最终在9月3日赶上兰哈姆的部队。

到了12月，兰哈姆的第四师突破德军防线，推进到卢森堡近郊。

海明威在1945年1月初回到巴黎。他听到一个大好的消息：大儿子班比还活着，人在德军的俘虏营。班比在1944年7月加入美国战情局，在法国空降时被德军俘虏。知道班比还活着，海明威心情顿时轻松不少，他开始想念家乡了。

3月，海明威和同为战地记者的英国作家奥威尔搭乘返航的轰炸机回纽约，中途在伦敦停留。海明威去探望妻子玛莎。玛莎这时染上了流行性感冒，正在医院卧床。海明威没有停留太久，说了几句保重的话就走了。

海明威心想：那个昔日在哈瓦那"懒人乔"酒吧让人眼睛一亮的美女，如今到哪里去了？

最后一任妻子玛莉

1944年海明威刚到伦敦时,认识了一位女记者——玛莉·韦尔斯。

玛莉是明尼苏达州人,这年三十六岁,也是个金发美女。她大学念新闻系,毕业之后在美国几家报刊社当过记者。西班牙内战时期,她在芝加哥当了五年记者,后来到伦敦的每日快报社当专栏作家。1940年开始,玛莉为《时代》等杂志工作。她的先生诺尔·蒙克斯是澳洲人,担任《每日邮报》的记者。

玛莉在伦敦的生活很规律、平凡,诺尔又常常出差,让她更觉得孤单。她在日记写着:“我一个人先回家,时候还很早。我感到孤独,很想念诺尔。”又说:“我一事无成,没有孩子,而且有时候我对诺尔感到十分陌生。”

有一天,玛莉和作家厄文萧到白塔餐厅吃饭。这是一家记者和军人常去的餐厅,餐厅里人多又热,玛莉才一坐定,就赶快把外套脱下。厄文萧看她里面穿着一件贴身毛衣,就打趣说:“贴身毛衣会招来许多雄蜂,向女王蜂飞来。”

话才说完,真的飞来一只有着一脸大胡子的大黄蜂,出神地瞧着玛莉。

厄文萧一看是海明威,便赶紧帮两人介绍。

玛莉和海明威就这样认识了,从此开始来往。

海明威半夜出车祸那一回，玛莉到医院探望他，坐在病床前和他闲话家常，比起妻子玛莎对他哈哈大笑的羞辱，他觉得真是温暖在心头。

出院后，海明威总会找时间和玛莉见面，要不然也会写首情诗，诉说情愫。

钥匙轻轻转动，把门开启，
轻问一声，“我可以进来吗?”
悄悄地进来了，那么温柔可爱，
吻一吻手和眼睛，
让死去的心复苏，
驱散寂寞和烦恼。

诺曼底登陆之后，海明威一直待在法国，两人分隔在海峡两岸，只能靠着书信传情意。

8月底，盟军进入巴黎。海明威住在丽池饭店，正好玛莉奉派到巴黎采访法军的勒克莱尔将军，于是赶紧写信告诉海明威。

玛莉从英国搭机过来，乘坐吉普车来到丽池饭店，海明威老早就站在门口等她了。快两个月没见面，两人紧紧拥抱，久久说不出话来。玛莉很高兴，两个人又可以一起生活，一起喝香槟了。

玛莉去买了许多画来布置海明威的房间，好让这里住起来像在

家里一样。

这样的日子让海明威很开心,不过他还是感叹说:“在一起非常快乐,可惜时间太少。”

这话一点儿也没错,海明威又得往比利时战场去了。

在比利时,海明威常耐不住相思之苦,只能勤写书信。他也写了一封信给儿子帕特里克,信中说:“玛莉是个很好的女人,当爸爸在伦敦发生那件不幸事故时,玛莉常来看望爸爸,对爸爸特别关心,在爸爸最困难的时候照料爸爸。”

1945 年 3 月,战事底定,海明威想回家了。他写了一封信给玛莉,说他将努力使两人能够正式生活在一起,他会时时刻刻想念她,他会等她。

哈瓦那的维吉亚农庄显得有些荒凉。

这座农庄本来是妻子玛莎租下来的,海明威后来干脆买了下来。他请了工人和园丁,把农庄的里里外外整理得焕然一新,然后耐心等待新主人到来。

1945 年 4 月 13 日,玛莉终于来了一通电话。

“头还会痛吗?”她关心地问海明威。

“还是会,”海明威打从在伦敦车祸撞头,头痛就时有时无。“你什么时候来哈瓦那?”

“我还不能马上过去,”玛莉缓缓地说,“我必须先回芝加哥,向我父母解释，我为什么要离开诺尔，也要跟他们提一下，说我们两人准备结婚的事。”

海明威觉得自己等不下去了，他只能求玛莉办完事就马上来。他告诉玛莉，在这段等待的日子里，他会加强锻炼身体，让自己的身体赶快好起来。

隔了几天，海明威打了通长途电话给玛莉。他说游泳池旁边的顶棚已经修好了，他在游泳池里游了十几趟，做了72次举手练习，到俱乐部比赛射击，还打了三盘网球，又在游泳池里游了几个来回，才结束一天的锻炼活动。他说，这一系列运动是很有必要的，对于他的写作，他的爱情，跟未来妻子共同生活，都很有帮助。

5月2日，玛莉终于飞到哈瓦那，海明威开了林肯牌轿车去接她。玛莉发现海明威身体真的好多了。

玛莉很快就适应这个新环境。海明威发现她喜欢他的猫，喜欢海洋和钓鱼，会游泳，愿意跟他一起乘坐“比拉号”到海上航行。这让海明威高兴极了，一直赞扬玛莉勇敢、善良、能干和美丽。

6月初，大儿子班比终于从德军俘虏营被释放回到维吉亚农庄，两个弟弟帕特里克和格里哥利陪着哥哥回来。三个儿子都在眼前，海明威心中幸福极了，这样的日子很久不曾有过了。最令他欣慰的是，三个儿子都接受玛莉成为他们的母亲，接受她做维吉亚农庄的新女主人。

8月底，玛莉飞回芝加哥，办理离婚手续。海明威不能陪她去，

因为根据古巴的法律，他必须在古巴继续住半年，才能跟玛莎离婚。

9月22日，在巴黎晋升少将的兰哈姆刚刚奉调回国，海明威邀他们夫妇来古巴度假。两个男人说起战时在巴黎的点点滴滴，一下子都坠入了回忆里。海明威请他们到佛罗里达酒吧饮酒聊天，到俱乐部打鸽子，乘坐“比拉号”出海去捕鱼。兰哈姆对这些活动喜爱极了。

两人也经常闲聊文学，兰哈姆说他还没拜读过《春潮》一书呢！海明威立即从书柜里拿一本给他，并站在兰哈姆背后看着他读。海明威看到兰哈姆专心读书的样子不禁笑了起来。

12月21日，玛莎来到哈瓦那，和海明威签字办理离婚手续，海明威视这份证书为一份珍贵的圣诞节礼物。

1946年3月14日，海明威和玛莉在哈瓦那举行结婚典礼，海明威的两个小儿子和古巴朋友都来观礼。结婚典礼是在一名律师的办公室举行，律师用很快的速度宣读一份西班牙文婚约。结婚典礼完毕后，他们来到佛罗里达酒吧吃午餐；之后，到朋友家参加香槟威士忌酒招待会。招待会中，海明威为了一点小事和别人激烈争吵，这让玛莉感到心痛。

这对新婚夫妻会慢慢察觉，即使是真心相爱的两个人，生活还是会有小波浪。

在维吉亚农庄的日子

维吉亚农庄又有了女主人，海明威的心情安定，把大部分时间投入写作。

他正在写一部长篇小说，书名叫《伊甸园》。故事内容叙述两对夫妻的内心和欲望，第一对夫妇像海明威和宝琳，第二对夫妻像海明威和赫德莉。他将自己的第一次和第二次婚姻都写进了书里，这样的写法海明威还是第一次尝试，能不能写得顺利他也不敢断言。

8月的时候，玛莉怀孕了。海明威决定送她到太阳谷度假，那里的天气不像古巴这么热。他电召几个儿子一起去。海明威开着林肯牌汽车出发，车上有他准备的10000发猎枪子弹和2000发步枪子弹，希望这一趟假期可以尽情打猎。

中途他们在怀俄明的卡斯伯过夜。第二天早晨七点钟，正准备开车继续赶路时，玛莉突然痛苦万分，海明威赶紧把她送到医院，主治医生却刚好外出不在。值班医生诊断玛莉是胎儿异位，左边的输卵管突然破裂。玛莉脉搏消失，不省人事。值班医生一边脱下手套，一边叮嘱海明威向他妻子告别。

但是海明威拒绝向奄奄一息的妻子告别，他一副凶神恶煞模样，硬逼着那位医生要把玛莉救回来。医生被逼得没办法，只好做些紧急救护的工作，没想到玛莉真的恢复了脉搏跳动，呼吸也逐渐正常。这时主治医生回来了，他又为玛莉输了四次血，将她隔离在氧

气室整整一个星期，玛莉总算转危为安。

海明威整整十天守候在妻子身旁，一点怨言也没有。玛莉痊愈之后，非常感激海明威把她从死神手中救回来。海明威还是忧心忡忡，唯恐今后还会发生类似的事件。不过，他多虑了，之后，玛莉再没怀过孕。

玛莉调养了十来天，医生说她可以旅行了，海明威这才开怀地载着玛莉出发去太阳谷。儿子们早已在目的地等候了。

太阳谷的空气沁人心脾。他们几乎每天晚上都有野味加菜，山羊肉、羚羊肉、鹿肉、野鸡肉和野鸭肉等，口味经常变换。

帕特里克独自猎到一只大肥鹿。班比到溪里钓鳟鱼，庆祝他二十三岁生日。在他生日那一天，一家人一起看了影片《杀人者》，这是根据海明威的作品改编拍摄的电影，也是海明威真心喜欢的一部电影。

他们在太阳谷住到11月初，然后转往新奥尔良，玛莉的父母亲来到这座城市，第一次会见他们的新女婿。

时序进入1947年，大地春回，维吉亚农庄的院子里开了许多美丽的花，农庄里里外外弥漫着平静的气氛，海明威在这种氛围里继续写作《伊甸园》。

4月时，帕特里克和格里哥利去探望母亲宝琳，途中发生车祸受伤。格里哥利膝盖撞伤，伤势并不严重。帕特里克只是脸颊受了轻伤，但他总喊头痛，而且说话时神情非常急躁。

帕特里克回到哈瓦那后，头痛越来越厉害，甚至体温升高，神志不清，到了晚上病情变得更加严重。偏偏在这个节骨眼，玛莉因父亲得癌症，火速飞去芝加哥。海明威急中生智，把家变成临时医疗所，请来两位医生轮流值班，这才解了燃眉之急。

宝琳听到儿子大病的消息，匆匆忙忙赶到哈瓦那来照顾帕特里克。这样过了一个月，一直没办法吃硬质食物的帕特里克，开口说他想吃牛排。海明威高兴极了，要厨房赶快去准备。

过了几天，玛莉回到古巴，她和宝琳第一次见面，却十分投缘。两个女人像久违的朋友般，话匣子一开就滔滔不绝，这让海明威十分意外。

到了8月，海明威听到自己脑子里有一种嗡嗡声，就像电线发出的频率一样。医生帮海明威检查身体，发现他舒张压125，收缩压215，体重将近120公斤，身体状况非常不理想，医生建议他严格控制饮食。

海明威决定到太阳谷住一段时间，那里的空气和水对他的身心有益。

这回海明威不是自己开车，他请了一名司机名叫奥多布鲁斯，开着一辆新的越野车出发。他们没照平常的路线走，中途转往华伦湖畔的温德米尔，这处充满童年回忆的农庄现在由海明威的妹妹桑妮

管理。当年稚嫩的两兄妹，如今都已步入中年，兄妹俩聊起小时候的事情，一切犹如昨天，历历在目。

29日晚上，海明威抵达太阳谷，住进罗吉旅馆。海明威自己严格控制饮食，到了年底，体重减轻了十几公斤，血压也下降了，舒张压104，收缩压150。情况好得让医生感到很惊奇。

海明威在身体健康的状况下迎接1948年的到来，他内心期待，新的一年能够健康平安。

这年的7月21日，海明威四十九岁了。一大早，玛莉和几位好朋友陪着寿星出海，因为驾驶“比拉号”一直是海明威最喜欢做的一件事。当天晚上，海明威还为自己办了生日派对。玛莉买了几件礼物，除了一份是她送给海明威的之外，其他几件的卡片上写着：“维吉亚农庄的大黄狗赠”、“维吉亚农庄的小黑猫赠”……海明威读到卡片呵呵笑个不停，开心极了。此外，哈瓦那一家酒商特地送来一箱香槟，让海明威乐得合不拢嘴。

这一年，海明威在三十岁那年出版的《战地春梦》即将出版插图新版本，出版社请海明威重新写一篇序言。海明威写序言的时候，感觉自己仿佛回到《战地春梦》问世的年纪。他许愿，五十岁到来的那一天，希望世界上有更多的人了解他、尊敬他、喜欢他。

第七章 再创文学盛名

重游意大利

1948年秋天，海明威夫妇搭乘邮轮前往意大利热那亚。这是战后海明威首次重返欧洲。

回想1919年的1月，海明威乘船返回美国的港口就是热那亚，那时的他脚一瘸一拐的，是个英勇救人的战争英雄。

玛莉是第一次造访意大利，对于眼前的一切感到新奇无比。海明威则有回归故土的感慨，山谷中的紫色山岚、谷地里的美丽花朵、热情拥抱他的朋友，让他禁不住高喊："意大利，真是一个美妙的国家啊！"

一个出版商朋友告诉海明威，战后，他的作品在意大利的销售量远远胜过其他作家，意大利人民爱他，爱读他的书。

海明威和玛莉开着车，沿途经过大大小小的城镇，一边欣赏异国美丽的风光，一边拜访他曾经到过的地方。当他们来到一个叫达科迪纳的小镇时，海明威忘了他和赫德莉曾经来过，直到看见那轮廓依旧的山峦，记忆才瞬间浮现脑海中。

海明威的一位旧识正和妻子来这里度假，这位旧识是个芬兰贵族，他听到海明威来了，就到海明威下榻的旅馆找他，邀他一起去钓鳟鱼。海明威的意大利语已荒废多时，但跟这位老朋友对话一段时间之后，慢慢又恢复了。

接着，海明威夫妇转往威尼斯，威尼斯是一座神奇的水上都市。当地居民热烈地欢迎他们，有如海明威是游子衣锦返乡一般。

在皇宫旅馆住了一阵子之后，海明威在威尼斯北方的托西罗小岛找到一间小客栈，客栈附近有一座 11 世纪的老教堂。那里的空地上有时会堆起山毛榉和桦木，它们燃烧时散发出的特殊味道深深吸引着他。海明威住在这里，早上安排写作，下午出外打野鸭，还有什么比这更悠哉的呢？

海明威也去重访昔日受伤的战场，沿着河岸修筑的工事早已被填平，如今长满了杂草。河边高大的芦苇在微风中轻轻摇曳着。河堤后面有一排黄色的平房，那正是他 1918 年受伤的地方。海明威凭着记忆走到敌人迫击炮弹爆炸的地方，随手找来一根小木棍，在地上挖了一个小洞，然后把一张 1000 里拉的意大利钞票塞进洞里，用土填平。海明威说："这象征我在意大利土地献出了鲜血和金钱。"

冬天来了，海明威夫妇移居到柯蒂纳，租了一间小屋住下。

卡罗伯爵约了海明威一起去打野鸭,整个狩猎队都是男士,只有一名年方十九的少女,名叫雅德里安娜。这天山雨霏霏,傍晚回到屋里时,少女的头发已经湿透了,男士都围着火炉喝酒,一边聊着打猎的趣事。雅德里安娜在壁炉边烘着打结的湿发,却只能用手拨开发丝,因为手边没有梳子。海明威走过去,把自己的梳子拿出来,折成两半,递了一半给她,雅德里安娜非常感谢地收下来。海明威邀请这名少女有机会的话到维吉亚农庄游玩。

海明威乍见到这名少女,心中浮现难以言语的感情。表面上、举止上,他仿佛都是以父亲的角色爱护女儿;内心的世界,他却像一个情窦初开的男子,迷恋完美的维纳斯女神。

海明威和玛莉过了一个非常安静的圣诞节。海明威还收到一份圣诞大礼,也就是他把《我的老人》卖给20世纪福克斯电影公司所得的稿费45000元。这让他可以过得宽裕一点。

1949年新年前夕,海明威写信告诉史奎尔伯纳出版社,他正着手写作关于海洋的长篇小说。可是他的写作速度减慢了,因为过去15个月来,他的耳朵总是嗡嗡作响,必须每隔四小时服药,这让他感到心烦。这部小说书名是《海流中的岛屿》,不过这本书稿并没有在海明威生前出版,等他过世之后才由出版社整理付梓。

海明威手边正在阅读厄文萧的小说《小狮子》。厄文萧就是1944年在伦敦白塔餐厅,介绍他认识现任妻子玛莉的大媒人。不过,海明威认为这本小说让人读了灰心丧气，书中把玛莉描写成虚构的人物。他说，厄文萧真是胆小鬼，即使发怒也不敢开枪。

美国《生活》杂志寄来了当月发表的一篇文章：《爸爸先生的画像》。这是作者考利访问海明威，也征得海明威同意的第一篇传记式文章。文章有相当的篇幅叙述海明威在第二次世界大战中的不凡表现。海明威读后，觉得虽然叙述不够准确，但很引人入胜。他写信给作者，表示对他的作品感到满意。

考利收到信后，向海明威提出建议，说他想写一本正式的传记；海明威没有回复，因为他觉得：自己活着却让别人来立传，实在不妥；如果真的要把自己作为"标本"，那么纽约的动物标本剥制公司最适合了。

2月的时候，一大堆的倒霉事纷纷上身。首先是玛莉在松软的雪地滑雪，不小心跌伤了踝骨，打上了石膏。接着海明威感冒受了风寒，也在床上整整躺了两个星期。

3月份，海明威左眼角被硬物擦破，受了感染，很快就传染到脸上。海明威猜测应该是开车走在黄泥公路时，灰尘颗粒飞进眼睛所引起的。医生诊断这是一种皮下组织传染病，提醒这种感染可能会影响大脑神经，于是海明威住进医院，经过注射大剂量的青霉素后，体温下降，病情才得到控制。

休养了一段日子，海明威的身体痊愈了，他也开始想家了。

1949年4月30日，海明威夫妇结束将近八个月的意大利之旅，

在热那亚乘坐邮轮回到哈瓦那。

他的那部长篇小说《海流中的岛屿》仍需奋斗。

老人与海

1949年7月21日,海明威生日到了。他约了几个朋友,驾着“比拉号”出海钓鱼,船上放了好几箱香槟酒,大伙儿喝了个痛快。

9月的时候,哈奇诺带着妻子来古巴看海明威。哈奇诺第一次到古巴是在1948年的春天,当时他在《世界杂志》工作,编辑部派他来采访海明威,谈“文学的未来”。二十五六岁的哈奇诺硬着头皮来到哈瓦那,他在一家旅馆的泳池畔枯坐了两天,就是提不起勇气去敲海明威家的大门。他在泳池边晒得头晕脑眩,最后豁了出去,写了一张纸条给海明威,说他奉派接下一件荒谬的任务,他实在不想打扰一位大作家写作,征询海明威可否写一封正式的拒绝函,让他回去交代任务。

送出去之后,哈奇诺总算睡了一夜好觉。

第二天清早,他被电话铃吵醒。

“哈奇诺吗?”对方问。

“我是。”

“我是海明威,把你的纸笔带来。我不能让你任务失败。五点钟来这儿喝杯酒吧,告诉出租车司机佛罗里达酒吧就行了。”

哈奇诺准时赴约,海明威和他天南地北地聊,一个晚上下来,哈奇诺创下他喝酒的最高纪录——七杯。

隔天,海明威带他上“比拉号”,教他钓马林鱼。这一老一少就这样成了忘年之交,哈奇诺也几乎每年都会来古巴探望海明威。

这年哈奇诺又来了,海明威正在创作以意大利威尼斯为背景的小说《渡河入林》,书中女主角雷娜塔正是以他去年在意大利遇见的少女雅德里安娜为原型,男主角上校则是曾经在意大利作战的美国老兵,书中许多情节掺合了海明威当年在意大利的经验。他把写好的三章给哈奇诺看。

11月,海明威夫妇前往巴黎,海明威打算换个地方写书。哈奇诺随后也来到了巴黎,《世界杂志》同意让他跟着大作家,等《渡河入林》的完整文稿。

海明威住在丽池饭店,连续数天,他每天写作十几个小时,总算完成了《渡河入林》,卖给《世界杂志》分期连载,稿费收入85000美元。《渡河入林》一书的封面有张插画,那是少女雅德里安娜绘制的作品。后来《渡河入林》出版单行本,评论家反应普遍不佳,可是读者的反应却愈来愈热烈,销售量逐渐居于榜首。

1950年7月,海明威和玛莉在哈瓦那的家,儿子格里哥利也在,于是一家三口坐上“比拉号”,准备出海钓鱼。当时风浪很大,格里哥利把船转向一边,刚好迎面一个大浪扑来,船突然倾斜,海明威失去

平衡,溜倒在湿淋淋的甲板上,头撞在一根固定斜桅用的夹钳上。他伸手一摸,流血了。格里哥利马上把父亲送回家,医生在海明威的伤口缝了三针。

第二天,海明威头痛得厉害,头骨隆起一个大包,可是他六点就起床到处走动。医生说他头皮厚,要不然早就没命了。

这次创伤以后,海明威经常头痛,情绪变得很容易激动、烦躁和恼怒。他给朋友写信,说自杀是一种可以摆脱痛苦的方法。他告诉朋友说:有一次他驾着"比拉号"到很远的海湾,海水深得发出湛蓝的光彩,他下水直往深处潜去,把肺部的气都放出来;他看到那个地方真美,好想在那里长眠,只是突然想到,他应该给小孩做个好榜样,于是他又浮了上来,满脸涨得通红,不停地喘着气。

现在,海明威的右腿也痛得让他受不了。医生用X光照射,发现腿内有1918年残存的子弹碎片,显然是这次的意外震动了碎片而位移,神经和血管受压迫才引起疼痛和水肿。海明威考虑要不要开刀,最后还是没动。

10月底,雅德里安娜和她妈妈从意大利来访。海明威高兴极了,他盼望了这么久,小姑娘总算来看他了。海明威热情款待这对母女,带她们到俱乐部玩打鸽子游戏、上街买东西、坐"比拉号"出海游玩。为了避免蜚短流长,闲言闲语,海明威忍受着内心的痛苦,不到客房去看他心仪的少女,不向她吐露真实感情;相处时,总以父亲慈爱的

眼神，细心呵护；当雅德里安娜在楼上作画时，他就待在楼下。知道她人在这栋屋里，海明威便精神抖擞，文思泉涌，写作特别顺畅。

在这期间，海明威的创作能力大为提高，他在三个星期之中，写完了《海流中群岛》；接着，他构思要写一位古巴老渔民和马林鱼的故事。这故事早在 1935 年古巴渔民卡洛斯就向他讲述过了，他当年就想写作这个故事，但一直没有提笔。

1951 年 2 月初，海明威的缪斯女神[1]要离开了。玛莉为雅德里安娜母女举行了盛大的欢送会，陪她们飞往佛罗里达，送她们到纽约去坐船。

2 月 17 日，海明威写完了古巴渔民与马林鱼搏斗的短篇小说初稿，竟然只花了短短两个月就完成了！海明威其实不是很清楚原因何在，也许是胸臆已酝酿 16 年的精华？也许是缪司女神真的眷顾了？

这部短篇小说故事非常简单：一个叫桑提亚哥的古巴老渔民，独自驾船出海捕鱼，一条大马林鱼上钩了，他要拉鱼上船，可是那条鱼力气比他充足、体型比他壮硕，一人一鱼就在无人的辽阔大海僵持着……

海明威请了几个好朋友试读，大家都觉得这本书有一种神奇力量，那是他先前作品所没有的。

《世界杂志》来洽谈桑提亚哥一书的版权，他们愿意一次刊登完

1　缪司女神是希腊神话中掌管司文学、艺术、科学等的九位文艺女神。诗人们常向她们祈求灵感。

毕，并支付10000美元。这让海明威倒吸了一口气——这么多呀！

6月28日，家乡传来母亲病故的消息。海明威感受到了死亡的威胁。

7月时，玛莉回娘家探望她的父母，独留海明威在家里。海明威受不了哈瓦那的热浪和孤单，决定一个人出海几天。他写信给史奎尔伯纳出版社的查尔斯，说自己如果这趟航行出了意外，请他尽管出版《老人与海》单行本。这是海明威首次提到这部短篇小说的书名，书名也就这样定下来了。

9月底，宝琳来了一封电报，说小儿子格里哥利在洛杉矶有麻烦，她要过去看看。到了第二天中午，海明威收到一封电报，发报的人是宝琳的妹妹珍妮，她说姐姐在当天凌晨四点已经在医院过世。宝琳是因为肾上腺髓质瘤而猝死。海明威感到十分难过！

1952年2月，海明威一家人驾着"比拉号"出海，沿着古巴海岸来一次海上度假之旅。海明威希望整个2月份都在海上度过。他们日出起床，上午钓鱼，下午游泳或读书，晚上九点半睡觉。过了半个月左右，玛莉和格里哥利上岸到一个小渔村去买东西，顺便打个电话回家看看有什么事。这才知道，家里接到一封电报，说2月11日上午史奎尔伯纳出版社的查尔斯因心脏病发作过世。

海明威得到消息这天，天气骤变，大雨倾盆。一家人坐在船舱里倾听激浪拍打着远处的礁石，发出哀鸣的声音。海明威决定顶着

风浪返航。死亡的信息，似乎无时无刻不在。

好消息是，《老人与海》可望出版了。《生活》杂志决定用一期刊登《老人与海》全文，并一次印刷500万册，海明威欣喜若狂，这大概会创下印刷纪录吧！

《老人与海》全文刊出后，《生活》杂志在48小时内即销售了五百多万册。海明威连续三个星期，每天收到八九十封读者来信。走在路上，很多人当面感谢他创作这么好的书，感谢与祝贺的电话也是应接不暇。

在海明威文学创作的路途上，这是头一次评论家和读者掌声不断的时刻。

飞机失事

桑提亚哥捕到了马林鱼，海明威也渴望前往非洲捕猎一头狮子！

1953年，海明威把猎枪拿出来擦得雪亮，积极准备前往非洲狩猎。二儿子帕特里克和他的妻子此刻正在肯尼亚，寄回来的家书写得热情洋溢，让老爸几乎难以招架。玛莉没去过非洲，于是海明威拿出狩猎参考书籍，让玛莉先熟悉当地状况。

5月，海明威夫妇和朋友出海捕鱼。六点钟时，从船上的电台广播听到海明威的名字，说是海明威以《老人与海》一书荣获1953年普利策文学奖。1940年,海明威曾经以《战地钟声》一书获得提名,可惜没得奖。

5月中旬,纽约《瞭望》杂志的编辑前来拜访,说他们愿意支付优渥的稿酬,买下有关非洲之行的文章。海明威大喜,旅费终于有着落了。他马上添购狩猎物资,准备他的非洲之行。

海明威和玛莉搭乘6月24日的邮轮出发,到达法国海港之后,夫妻俩就直接转往西班牙的潘普洛纳。奔牛节又到了,当地的旅馆全部客满,他们只好投宿附近小镇的旅店。

海明威去探望老朋友,大家热烈欢迎这位远方来客,说他有好几年没来了,这让海明威内心暖烘烘的。第二天,他们去看了一场斗牛,场中的斗牛士技巧十分高超,朋友介绍说这位斗牛士名叫安东尼奥,父亲也是知名的斗牛士,曾经出现在海明威的《午后之死》里。

过完奔牛节,海明威夫妇赶赴法国马赛港,乘坐邮轮前往东非蒙巴萨。

抵达蒙巴萨的那天,港区下着倾盆大雨。波西瓦来接他们,屈指数一数,上回见面都已经是20年前的事了。大伙儿先来到波西瓦位于基坦加的牧场,在山坡地上搭起帐篷,又跑了几趟内罗毕,去购买打猎装、食物和装备,接着安排狩猎计划。

有一天,波西瓦告诉大家,乞力马扎罗山已经从雾中探出头来了。大家纷纷坐上车到附近的山上去观看。吉力马扎罗山真的露出它那终年积雪的白色山巅,每个人都用敬畏的心情静静看着这座非

洲第一高峰。

有关当局允许波西瓦的狩猎团在9月份到动物保护区自由打猎。海明威夫妇赶紧办了狩猎执照，缴交狩猎费，又加买了猎狮证明。

车队走了几公里，碰上一名猎区监守员，叫丹尼斯。丹尼斯是伦敦人，二十七岁，大战后来到非洲，已经在肯尼亚狩猎部当了三年监守员。

“嗨，波西瓦，有一阵子没见面了，最近好吗?”丹尼斯把巡察车停下来问。

“托你的福，一切都很好。”波西瓦回答。

“这附近有犀牛，你的客人想不想猎犀牛呢?”

波西瓦回头看着海明威夫妇。

“当然想啦!”海明威点头说。

“那请跟我来。”丹尼斯说。

于是大家尾随丹尼斯的车子进入一大片草地，果真看到一头犀牛站在荆棘灌木丛旁。海明威下车，直走到离犀牛20步距离的地方，举起猎枪，击出一发，犀牛跳了起来，海明威再补一枪，犀牛逃进荆棘灌木丛里不见了。大家沿着血迹追踪，但天色逐渐暗了下来，只好作罢。

回到营地，帐篷已经搭在沙林格河岸，这是一条河床干了一半的河。大伙儿安安稳稳地睡了一觉。

第二天，海明威和丹尼斯前去寻找昨天的犀牛，发现它就躺在不远处。

“沙林格河流域是各种飞禽走兽的栖息地，至少有400只大象、10只犀牛、20只狮子，不计其数的野禽。”丹尼斯说。

这天，玛莉先猎到一只牛羚。

在沙林格流域的最后一天，天空下着濛濛细雨，当他们正准备上车时，看见前方两只狮子正在吃诱饵。海明威在距离动物200码远的地方朝狮子开枪，那狮子没有吼叫，转头就跑掉了。半小时后，丹尼斯找到那只受伤的狮子，朝它补了两枪，海明威赶来又补了两枪，这才把它打死。这是海明威狩猎到的第一头狮子。

接下来的几个月，海明威夫妇有时出去打猎，有时留在基坦加牧场写写文章；圣诞节时还去马赛族人的部落，过了一个很不一样的圣诞节。这期间海明威独自飞到坦桑尼亚，去探望帕特里克夫妇，他们在当地经营一处3000公顷大的牧场。

新年刚过，海明威和玛莉尝试了一趟小型飞机之旅。飞行员洛伊·马许载着他们在无花果营地上空转了一圈，俯看湖泊的绝妙景色，再向西来到火山口和大平原；黄昏时飞到基乌湖夜宿，湖光山色让玛莉凝神赞叹，并且拍了许多照片。

第二天他们向北飞，经过一串珍珠般的湖泊。第三天他们看见尼罗河像一条白色带子蜿蜒穿过陆地，马许沿着维多利亚尼罗河迂回向前，好让玛莉拍摄莫奇森大瀑布的雄壮景观。小型飞机环绕瀑

布三圈，想寻找适当拍照角度。飞第三圈时，一群朱鹭突然从前面掠过，马许慌忙避开，不慎撞上谷口的一条电缆线。电缆线缠住螺旋桨，飞机摆脱不了，飞行高度不断下降。马许在紧急中搜寻迫降场地，最后在瀑布西南面三公里处撞进荆棘丛。

“赶快跳出去！”马许大叫。海明威夫妇慌忙从飞机上跳了下来，海明威右肩挫伤，玛莉胸口疼痛，脉搏狂跳。马许打开无线电通报坠机意外，无线电却毫无响应。

天色已近黄昏，耳边听得见野兽吼声。三人快速爬上一处山坡，海明威捡来一些干柴。从坡地上可看到山下的河流，还有河马和大象在河边饮水。这天晚上，玛莉盖着毛衣和雨衣睡觉，海明威和马许则坐在营火旁边打盹。

天一亮，马许就到瀑布那边用箭头作记号，指向飞机迫降的地点。海明威正在捡拾干柴，偶然抬头，看见一艘白色的船从河那边开过来。他和玛莉边喊边用雨衣招手。可是隔得太远，没人听见，只好眼巴巴望着那船向前开去。不久，那船停靠一处陆地，船上的人鱼贯上岸。海明威夫妇拼命呐喊，这次他们看见了。

这艘白色的船在傍晚送他们到了艾伯特湖东岸的布提亚巴。这时候，海明威夫妇才知道他们罹难的讯息已成为世界各大报纸的头条新闻，不禁啼笑皆非。

另一位飞行员卡特怀特安排了一架十二人座的飞机准备送他们去安提贝。他们来到简易机场时，夜幕已经笼罩，跑道像犁过的田地般凹凸不平。海明威三人勉强登机,坐在位置上望着前方的跑道发愣。飞机的引擎转动了,发出震耳的噼啪声,机身颠簸前进,渐渐升高,又蓦然栽下,机身瞬间着火。马许踢开玻璃窗,拖着玛莉爬了出来,卡特怀特紧跟在后。海明威用他的头和受伤的肩膀撞开机门,跌跌撞撞地跳了下来。

两天之中发生两起坠机事故,死神二度造访!

海明威伤势严重:肝脏破裂、左眼有偶发性失明、左耳听不见、脊椎骨破裂、右臂和右肩扭伤、左腿扭伤,此外脸部、头部、手臂都是一级烧伤。

海明威被送到肯尼亚医治。这期间《瞭望》杂志向他约稿,请他写一篇 15000 字左右的文章,描述他在乌干达的这段坠机意外。这篇文章的报酬是 20000 美元。处在那种身心俱疲的情境下,海明威竟然还能写出文章来,令人对他的意志力和好胜心感到敬佩!

定居爱达荷州

1954 年 6 月,海明威从热那亚搭船返回哈瓦那。

除了身体的病痛,他的外表也大不相同:头发和胡子大部分被烧掉了,从原来的斑驳转为全白,身形也缩小了。他的忘年之交哈奇诺说:“某种巨大的光彩似乎从他身上消失了。”

1954 年 10 月 28 日,瑞典皇家科学院正式宣布:海明威获得诺

贝尔文学奖。消息传来，各方贺电涌入，维吉亚农庄笼罩在一股久违的欢欣之中。

海明威对这奖项并不特别期许，记得福克纳获奖那年，他就说过，如果是他获奖，他也不愿意出席颁奖典礼。这句话看来会成真，海明威的身体状况不允许他长途飞行到瑞典斯德哥尔摩。

颁奖典礼将在12月10日举行。11月的时候，美国驻瑞典大使卡伯特来电，说他从报上得知，海明威先生因为身体违和，不能亲自到斯德哥尔摩领奖，如果情况属实，他愿意代劳；惟诺贝尔基金会主席希望海明威先生能写个简稿，在典礼上请人代为宣读。

海明威欣然应允，写了一篇简短致词，还录了音：

写作，充其量不过是场孤单的人生。为作家而设的组织减轻了这份孤单，但是我怀疑这是否能对作家的写作有所帮助。褪去孤单时，作家的声望日增，作品却往往每况愈下。正因为他独自工作，倘若他又足够优秀，那他每天都得面对永恒的存在，或不存在。对真正的作家来说，每本书应该是全新的开始，是作家再度尝试的新东西。他应该总是尝试自己从来不曾做过或他人做过却失败的东西；运气好的时候，他会成功。如果我们只是依照一种已经写得很好的方式写作，文学的创作将会变得何其简单。正因为在过去我们拥有许多伟大的作家，后代的作家才会驱策自己超越他能力所未逮者，到达一个没人能帮助他的境界。对一位作家而言，我说得已经太冗长。一位作家应该写他所要说的,而不是说他要说的。我再次感谢大家。

飞机失事满一年之后,海明威的身体依然没有完全康复,而且由于贺客和不速之客太多,常常干扰了他的写作进度。

1957年,古巴的政治冲突日益严重,旅居古巴的美国人身分更是敏感。

8月的某一天,维吉亚农庄来了一支巴提斯塔政府的搜查队,说是要找逃匿的反抗分子。他们杀了海明威的一只狗,海明威敢怒而不敢言。

海明威兴起了搬回美国故土定居的心愿。

1958年秋天,海明威终于选定在爱达荷州的开查姆定居。

开查姆距离海明威一家人常去的度假胜地太阳谷只有两公里,海明威请友人帮他租一间木屋,然后装了一车子行李,由司机奥多布鲁斯开车北上。沿途经过内布拉斯加州、怀俄明州,森林和溪湖错落的景致让人心旷神怡。无聊时,他扭开车上电台,听听新闻,有时收音机里流泻美国国歌,他会脱帽,轻轻按在胸前表示敬意。

海明威和奥多布鲁斯在途中停车,到酒吧里小憩,酒吧里传来电视新闻的播报声,没人留意他们。直到有一个人扭头,望了一下,才惊讶地说:“这位不是海明威先生吗?”

大家纷纷把视线从屏幕转移过来，霎时，桌椅挪动声起，每个人都围了过来，和海明威握握手，或者拍拍他的背，表达他们的景仰之心。后来，海明威好不容易从人墙中回到车上，这才解了围。

到达开查姆时，玛莉也来了。朋友们围拢过来欢迎海明威夫妇。

海明威和玛莉在租处安顿下来。他们不急着工作，反倒天天上山打猎。海明威每天步行，追逐猎物，寻找猎物，瞄准猎物，一阵子下来，他的视力变得好多了，反应也没那么迟钝了。

当哈奇诺来看他的时候，不相信眼前这人是病痛缠身的海明威。他神采奕奕，往日那个精力充沛的猎人好像回来了。

12 月中旬，租房到期。海明威决定在这儿置产定居，于是托友人帮忙留意。朋友在小镇西北的山坡上看见一幢两层水泥楼房要出售，于是约好房东看房子。房屋在一条砾石子路尽头，屋内陈设典雅，还有一间书房可让海明威工作；从窗口望出去，可以见到往东流的溪河、高大的白杨树以及远处墨绿的山头。

海明威和玛莉都很满意。屋主开价 50000 美元，含家具和周围的 17 公顷土地。海明威开了一张 50000 美元的支票，这笔买卖成交。

开查姆即将成为海明威最终的家！

终曲

1960 年，海明威变得焦虑不安、多愁善感、疑神疑鬼，他相信联邦调查局人员在跟踪他，他的房子被监视，电话遭窃听，车子也被装了窃听器。

有一次，哈奇诺来到开查姆和海明威谈小说改编电影的事情。当地新开一家餐馆，哈奇诺做东，请海明威夫妇吃饭。吃饭时，大家小酌聊天，谈起往事格外怀念。

“嘘！”海明威要大家讲话小声点。

“怎么了？”玛莉问，哈奇诺也瞪大眼睛，不知发生了什么事。

“我们该走了！”海明威声音低得快听不见，“有人在监视我们。”

“监视？”玛莉和哈奇诺不约而同喊了出来。

海明威把食指贴在嘴唇，“嘘，吧台那两个是特务！”

玛莉和哈奇诺把视线往那边一看，那两人不就是穿着平凡的客人而已吗？看来海明威又在多疑了。

玛莉很担心，私底下跟哈奇诺商量，该不该让海明威去就医。

哈奇诺表示他会去请教纽约的心理医生雷诺恩博士。

雷诺恩博士向哈奇诺大略询问海明威的情况之后，表示海明威的奇特行为应该是属于幻觉。他直接和海明威的家庭医师维隆通了电话，建议送病人至精神病院治疗，维隆也表示同意。

玛莉选了明尼苏达州切特罗市的马约诊所，由维隆医师陪同海明威到切特罗市办理住院手续。

马约诊所规定病人不能接电话、打电话，也不能写信。海明威在

这里使用化名维隆·劳德，表面上是治疗高血压，实际上是心理治疗。

负责医治海明威的罗姆博士采用电击疗法，在海明威入院的一个月期间，前后进行了11次电击。这种疗法虽然可以减轻病患的心理烦恼，但是患者的记忆力却会大为衰退。

住院近两个月之后，罗姆博士确定海明威的治疗已告一段落，宣布海明威可以出院回家。

海明威回到家中，切实遵循医师的叮咛——不喝烈酒。他每天照常写作，但大半时间，常常写不出几个字，思路似乎堵塞了。

海明威变得很少与人来往，昔日那个大嗓门、粗犷的大胡子不见了。每天接触的唯一外人，就是来帮他量血压的乔治医生。乔治医生偶尔会陪海明威聊天。

4月的某一天，玛莉发现丈夫站在起居室的一隅，手里拿着一把霰弹枪，窗台上放着两颗子弹。玛莉听到自己的心跳声强烈而快速地搏动着，她强自镇静地尝试和海明威聊天，海明威没有回话，只是转身看了她一眼。

“乔治医生来量血压的时间快到了，我得撑住。”玛莉心里想着。她坐在沙发上，离丈夫几英尺远，和他聊起非洲狩猎的趣事。

乔治医生总算来了，他看见玛莉对他使了一个眼色，又看见海明威手中的那把枪，心中一切了然。他走向门厅，从容地对海明威说：“海爸爸，咱们来聊天。”然后很自然地顺势把枪抽走。

海明威二度被送进马约诊所，住在24小时有守卫的病房里，每

天接受电击治疗。这样的治疗进行了将近两个月的时间，罗姆医师再度评估准许出院。玛莉虽然心中存疑，却也只能接受。

6月30日，海明威再度回到开查姆的家中。7月1日，他拉着乔治医生去散步；晚上，请玛莉和乔治外出用餐。餐毕回到家里，海明威高唱意大利民谣，向玛莉说声晚安，静静地睡去。

7月2日凌晨，玛莉在睡梦中被枪声惊醒，她急忙下楼，只见海明威躺卧在血泊中，一把猎枪无辜地在一旁作陪。玛莉不敢相信眼前的这一幕……

在世人的追悼声中，这位当代大文豪平静地躺在开查姆北郊的美丽墓园。加勒比海的巨大涛声、西班牙的斗牛喧嚣、东非草原的野兽咆哮……如今全都不再令他眷恋难舍；耳朵所听所闻，只有教堂传来的钟声、风摇枝叶的婆娑声、远处儿童的嬉戏声……这，才是海明威内心企盼的一场大自然的流动盛宴。

海明威重要记事

年份	年龄	事件
1899年		7月21日，出生于伊利诺伊州橡树园。
1917年	十八岁	高中毕业，在《堪萨斯星报》当实习记者。
1918年	十九岁	4月，辞去《堪萨斯星报》实习记者一职。5月，志愿到意大利战场当红十字会救护车司机。7月，腿部受炮弹击伤住院。
1919年	二十岁	回橡树园，成为战争英雄。尝试写作工作。
1920年	二十一岁	到加拿大的《多伦多星报》当记者。秋天认识赫德莉•理察逊。
1921年	二十二岁	9月，与赫德莉结婚。12月，同赴巴黎，担任《多伦多星报》驻欧记者。
1922年	二十三岁	认识作家斯坦因女士和庞德。
1923年	二十四岁	《故事三则诗十首》在巴黎出版。10月，长子班比出生。
1924年	二十五岁	1月，出版《在我们的时代》。
1925年	二十六岁	5月，认识费兹杰罗。10月，在美国出版《在我们的时代》。
1926年	二十七岁	出版《春潮》和《太阳照常升起》。
1927年	二十八岁	1月，与第一任妻子赫德莉离婚。5月，与第二任妻子宝琳结婚。出版《没有女人的男人》。

1928年	二十九岁	与宝琳回到基威斯特。6月，二子帕特里克出生。12月，父亲举枪自杀。
1929年	三十岁	《战地春梦》出版。
1931年	三十二岁	11月，三子格里哥利出生。
1932年	三十三岁	《午后之死》出版。
1933年	三十四岁	《胜利者一无所有》出版。
1934年	三十五岁	进行东非狩猎之行。
1936年	三十七岁	《雪山盟》在杂志连载。赴西班牙采访内战。12月，在基威斯特结识女记者玛莎。
1937年	三十八岁	与荷兰导演伊文斯合拍纪录片《西班牙大地》。10月，出版《富有与匮乏》。
1938年	三十九岁	出版《第五纵队与首批四十九个短篇小说》。
1940年	四十一岁	10月，《战地钟声》出版。11月4日，与宝琳离婚。11月21日，与第三任妻子玛莎结婚。
1941年	四十二岁	3月，访问香港、中国。
1944年	四十五岁	担任《柯里尔》杂志驻欧特派员。
1954年	四十六岁	3月，回纽约。12月21日，与玛莎离婚。
1946年	四十七岁	3月，与第四任妻子玛莉•韦尔斯结婚。
1947年	四十八岁	获美国政府颁授铜星勋章。
1948年	四十九岁	再访意大利。

1950年	五十一岁	9月，《渡河入林》出版。
1951年	五十二岁	6月，母亲逝世。10月，第二任妻子宝琳去世。
1952年	五十三岁	《老人与海》出版问世。
1953年	五十四岁	《老人与海》获普利策文学奖。
1954年	五十五岁	到肯尼亚与乌干达狩猎，连续两次飞机失事，身受重伤。10月28日，获得诺贝尔文学奖。
1958年	五十九岁	秋天，返回美国爱达荷州开查姆。
1959年	六十岁	4月，访西班牙。
1960年	六十一岁	10月，精神耗弱，住院治疗。
1961年	六十二岁	1月，出院返家。4月，再度住院。6月，出院。7月2日，凌晨举枪自杀。

后记

从来不知道一个人的一生可以如此精彩!

海明威的一生,不像刻板印象中的文学作家身影,一贯的文质彬彬,谦冲为怀。相反的,海明威有着一副大嗓门,讲话直接不修饰,穿着不修边幅,如果不是脸上那一撮大胡子,走在路上,大概没有人会认为他是一位知名的作家。

这样一位说来有点粗鲁的彪形大汉,如何能在文字的领域中,得心应手地遣词用字,精致细腻地描写人际的感情和心性呢?说到这里,我们得要感谢海明威的爸爸爱德。

爱德喜欢徜徉在大自然,他希望自己的孩子也能亲近大自然,所以,夫妇两个在北边的华伦湖畔买下一块地,开辟农场,让孩子在暑假有个地方可以接触大自然。在那个年代,从橡树园到华伦湖畔并不是一件容易的事,一家人得舟车劳顿,经过好几天才能到达目的地。爸爸爱德完全没有退却,海明威才七周大,就带他到华伦湖畔去欣赏大自然的奥妙。之后,每年暑假,全家人都会不远千里造访。

每次到华伦湖,海明威总有着快乐、冒险的生活。在父亲的训练下,他学会扎营、野外求生、划船、钓鱼、打猎、劈柴等。这些童年的嬉戏玩乐,在他长大后完全融入写作的频率中。

海明威并没有很严谨的写作时间表,不过在他的一生中,他习惯早上写作,下午出去钓鱼、划船、打猎。这些童年养成的休闲活动,让他消除写作的疲累,也时常在一动一静间蹦出奇妙的灵感,丰富写作的内涵。这些从小培养的兴趣,成为他长大后写作的润滑剂和营养素。

由于童年的大自然体验,让海明威的成人世界也益发多彩多姿。他不仅是一位世界知名的作家,也是一名驾船高手、一位高明的猎人,还是一名身手利落的钓马林鱼专家。他对马林鱼的认识连学者都佩服,甚至有一种玫瑰色的马林鱼就以他的名字命名为“海明威新马林”。

如果海明威不当作家,那他能选择的职业还真不少,而且不管他挑选哪一样,他都会是那一行的顶尖高手。这就是海明威,生活中的兴趣,他必定全力以赴,做到熟练为止。

写作《尤利西斯》的作家乔伊斯,和海明威是好朋友,当海明威出发去非洲打猎时,他用羡慕的口气对海明威说:“我的作品城市味太重了,也许我应该学学你,到处走走,见见世面。”

永远活力充沛、精神奕奕的海明威就是这么具有感染力,让身

为知名作家的乔伊斯也觉得自己有所不足，写作不能闭门造车。

每个人的生长环境不同，也许我们没有海明威的华伦湖，没有他的猎枪，没有他的钓竿。不过没关系，毕竟这些都是可遇不可求的，我们要从中学习的，并不是这些有形物质，而是海明威的生活态度，那就是“热爱生活”。

他因为“热爱生活”，写出了许多脍炙人口的著作，比如《战地春梦》、《雪山盟》、《战地钟声》、《渡河入林》、《老人与海》等，故事都是以海明威的亲身经历为背景，演绎出引人入胜的剧情。海明威从来不闭门造车，他曾经说过：“作家要深入体验生活，才能创造出自己的人物来。”

我们不见得有海明威的写作才情，或许也无意成为作家，但是在了解海明威的一生之后，如果也能学习他“热爱生活” 的态度，对我们来说就是一大收获了。